Y a-t-il une autre vie après la vie?

LA PREUVE
DE LA VIE
APRÈS LA
MORT

LES ÉDITIONS QUÉBÉCOR
225 est, rue Roy
Montréal, Qué. H2W 2N6
Tél.: (514) 282-9600

Distributeur exclusif:
AGENCE DE DISTRIBUTION POPULAIRE INC.
955, rue Amherst
Montréal, Qué. H2L 3K4
Tél.: (514) 523-1182

Typographie:
STUDIO MALEK INC.

Martin Ebon

Ya-t-il une
autre vie
après la vie?
LA
PREUVE
DE LA VIE
APRÈS LA
MORT

EDITIONS

Québecor

«Il n'y a qu'une seule idée suprême sur terre: celle de l'immortalité de l'âme humaine; toutes les autres idées profondes qui gouvernent la vie des hommes ne sont que des extensions de celle-ci.»

Fiodor Dostoïevski (1821-1881)
dans *Journal d'un écrivain*

Qui est Martin Ebon?

Pendant douze ans, Martin Ebon occupa le poste de secrétaire administratif de la *Parapsychology Foundation* et, par la suite, celui de conseiller auprès de la *Foundation for Research on the Nature of Man.* Il donna une série de leçons intitulées «La parapsychologie: de la magie à la science», à la *New School for Social Research,* de New York. Il a également enseigné dans de nombreuses institutions de haut savoir partout aux Etats-Unis. Martin Ebon a de plus publié des périodiques tels que *Tomorrow, International Journal of Parapsychology* et *Spiritual Frontiers,* organe de la *Spiritual Frontiers Fellowship.*

Plusieurs périodiques, allant de *Contemporary Psychology* à *U.S. Naval Institute Proceedings,* ont publié les articles et les recensions de M. Ebon. NAL seulement a déjà publié au-delà de vingt livres de Martin Ebon, notamment *Prophecy in our Time, They Knew the Unknown, Maharishi: The Founder of Transcendental Meditation,* et *TM: How to Find Peace of Mind Through Meditation.*

La mort est-elle la fin de toute existence ou la barrière vers une nouvelle vie?

De tout temps, cette question a dominé la pensée de l'homme. A la recherche d'une réponse, les philosophes parlent du Ciel et de la Terre, de la réincarnation, ou de «mondes d'esprits» après la Terre. Mais, en définitive, seulement les morts connaissent la vérité. Comment alors pouvons-nous espérer découvrir si oui ou non il y a réellement une vie après la mort et, si oui, quelle forme prend-elle?

Puisant parmi les expériences de personnes qui avaient été déclarées cliniquement mortes et sont miraculeusement revenues à la vie, de l'histoire d'hommes et de femmes qui ont de toute évidence participé au phénomène de projection astrale, et des rapports de témoins qui ont assisté à des «manifestations d'esprits», Martin Ebon explore toutes les données de ce sujet fascinant, créant ainsi une imposante et provocante cause en faveur d'une nouvelle vie qui nous attend au-delà des limites de nos corps physiques.

1

Seul avec votre âme

Avez-vous une âme?
Peut-elle se séparer de votre corps?
Votre âme survivra-t-elle à la mort de votre corps? Ces questions remontent au temps où l'homme s'est rendu compte de son identité, ou encore du fait que la mort frappera un jour le bébé qui naît.

Sommes-nous devenus trop délicats pour poser pareilles questions simples mais non moins pénétrantes? Sommes-nous trop certains, trop modernes ou trop cyniques, ou trop froussards peut-être, pour poser ouvertement ces questions et en chercher les réponses?

Si vous êtes un de ces cyniques ou de ces poltrons, ne lisez pas plus loin; déposez ce livre et éloignez-vous. Mais, au fait, de quoi pensez-vous vous éloigner? De la mort? De la réalité? De la possibilité ou de la réalité de la vie après la mort?

Si la mort n'est pas la fin, si c'est seulement une barrière vers une autre vie, tel que l'on sait, pourquoi sommes-nous si incertains? Nous sommes peureux face à la mort, comme nous l'étions il y a une génération ou deux devant un nombre de sujets que nous considérions comme tabou.

Ah oui, nous avons appris à retarder la mort. En fait, nous semblons l'avoir trop bien appris. Présentement, des masses de personnes âgées et de jeunes, enfermés dans des foyers médicaux, hôpitaux ou résidences privées, ne sont rien d'autre que des «légumes». La science médicale moderne a prolongé leur vie, jour après jour, semaine après semaine, mois après mois, année après année.

Pourquoi? Pour empêcher des êtres humains de souffrir? Ou pour empêcher une âme de s'élever à un autre palier d'existence, celui d'une vie après la mort?

Voilà des questions cruciales. S'il y a vie après la mort, la médecine n'a aucune raison de recourir à ce qu'on appelle couramment des «moyens extraordinaires» pour prolonger ce que cliniquement on peut appeler la vie, mais qui ressemble fort peu à la condition de vivant. S'il y a une autre vie après la mort, ce qui implique que nos allées et venues quotidiennes ne sont qu'une préparation en vue d'une autre vie supposée supérieure, la vie présente n'acquiert-elle pas de ce fait une signification profonde?

La doctrine de la réincarnation, qui enseigne que notre vie terrestre n'est qu'un maillon d'une chaîne de plusieurs vies, prend alors un sens. Elle donne une signification nouvelle à ce qui paraît injuste dans nos vies et dans celles de millions d'autres humains sur cette planète. La réincarnation pourrait apporter ce sens nouveau: chaque vie, chaque renaissance, constitue une amélioration par rapport à la vie précédente. Peut-être alors nous déplaçons-nous vers une sphère plus élevée, physiquement invisible de cette terre, dans les conditions ordinaires, mais avec la possibilité d'y retrouver ou d'y influencer les vies de ceux qui vivent ici.

L'idée d'une vie après la mort est encombrée d'une tradition qui évoque des fantômes, des démons, des médiums mystérieux opérant dans des chambres sombres. Présentement, cette conception sert de cible à diverses catégories de chercheurs qui passent volontairement outre aux croyances passées et tentent de résoudre l'énigme de la mort par de nouveaux moyens. En d'autres termes, ces chercheurs modernes agissent comme un avocat qui devant l'impossibilité d'obtenir des preuves directes, s'emploie à étayer sa cause sur des preuves circonstancielles. Ce qui veut dire que l'avocat doit produire, à l'audience, des témoignages et des preuves qui, par leur nombre et leur qualité, étoffent indirectement son plaidoyer au point de convaincre le jury. Certains domaines de la science, telle la biologie, recourent à de telles méthodes.

C'est précisément le rôle de ceux qui s'emploient à prouver l'existence de la vie après la mort. Nous avons essayé pendant environ un siècle, surtout depuis la fondation de la *Society for Psychical Research,* de Londres, en 1882, de prouver la survie de la personnalité humaine après la mort, par des moyens tels que la voix des esprits dans des séances, l'interrogation des apparitions, l'emploi de l'«écriture automatique» provenant parfois des entités désincarnées; nous avons essayé tout cela, et davantage. Mais pris en tant que preuve scientifique, évidence directe apte à convaincre le «jury» — c'est-à-dire nous-mêmes — cette accumulation d'indices n'a pas atteint son but.

Cependant, au cours de la dernière décennie, des percées se sont produites, fournissant des données jadis jugées banales, et les élevant au rang d'«évidences circonstancielles» à porter au dossier de la vie après la mort.

Permettez-moi de vous proposer deux moyens d'aborder le sujet, si étranges qu'ils puissent paraître à première vue. D'abord, vous vous souvenez peut-être d'avoir lu le livre de H.G. Wells, *L'homme invisible,* ou peut-être avez-vous vu ce film, tard le soir à la télévision. Il y a, dans cette histoire, une double difficulté pour le cinéaste et pour ceux qui essaient de mettre la main sur l'«homme invisible»; ils doivent le rendre visible en révélant son contour d'une manière ou d'une autre, en jetant quelque chose sur sa forme fuyante, tel un drap ou un filet. Cela doit venir de l'extérieur et créer une illusion de visibilité. C'est finalement ce qui arrive: l'homme invisible, ayant perdu son «invisibilité», est piégé et menotté.

Notre autre métaphore est celle d'une chasse. Dépister et établir un phénomène scientifique fuyant — ce en quoi consiste pour les chercheurs «la vie après la mort» — c'est comme chasser un puissant mais incertain animal, peut-être seulement légendaire, quelque chose comme le monstre du Loch Ness, en Ecosse, ou la licorne. Quand, en 1976, des scientifiques américains se rendirent au Loch Ness, ils abordèrent la créature légendaire, armés de tous les gadgets de la science moderne, dans le but de recueillir de la créature au moins une impression au radar. Ils n'ont pas réussi mais ils essaieront encore.

De même, et c'est ici ma troisième métaphore, les reportages sur ce qui se passait en Chine, il y a quelques années, étaient mieux réussis de l'extérieur: les bulletins de radio, les rapports de journaux et de la presse officielle, joints aux histoires racontées par les voyageurs et les réfugiés, ont formé une mosaïque permettant de créer une image de la situation, laquelle, après la mort de Mao, s'est avérée remarquablement fidèle.

Si toutes ces comparaisons paraissent hors de propos, étant donné notre contexte un peu bizarre, souvenez-vous que nous étudions quelque chose d'incertain et d'invisible, peut-être de légendaire, peut-être aussi volontairement caché, surtout très éloigné de nos moyens ordinaires de connaissance. Nous avons d'énormes difficultés à comprendre les langues étrangères ou simplement les gestes de tous les jours. Partout, au Proche-Orient, là où nous répondons «non» par un mouvement de la tête, les Grecs, les Turcs, les Arabes et d'autres remontent vivement la tête et claquent de la langue. En Inde, les gens déplacent la tête légèrement d'un côté à l'autre dans des situations ou nous la déplacerions de haut en bas et de bas en haut.

Babioles? Oui. Mais révélatrices, par la nature microscopique du macrocosme que nous étudions, du large fossé qui sépare nos schémas habituels de pensée et le monde de l'au-delà que nos investigations sur la vie après la mort essaient de combler.

Comment font, alors, les chercheurs modernes pour habiller l'«homme invisible», et de quel côté et par quels moyens chassent-ils la créature fuyante, ou encore comment arrivent-ils à connaître un pays secret?

Le parapsychologue, qui étudie l'au-delà, cherche à encercler sa cible, à s'en approcher de plus en plus près, et à obtenir au moins une bonne image de son sujet. A l'occasion, la mort, d'où personne ne revient, permet à un homme ou à une femme d'y entrer brièvement, de regarder rapidement, de se retirer après en avoir obtenu une certaine idée. De plus en plus, des personnes qui ont été déclarées cliniquement mortes sont revenues à la vie, ressuscitées, et ont raconté leur expérience. Toutes ces histoires sont remarquablement semblables. Ces personnes, pour la plupart, sont revenues avec un sentiment de force et une attitude plus positive de la vie — et de la mort.

Il y a aussi ceux qui, de leur vivant, sont sortis de leur corps. Ils sont les voyageurs de l'âme, ou, pour employer le terme technique, ceux qui ont une expérience extra-corporelle. Ces expériences furent tout à fait spontanées et recoupent les expériences des «cliniquement morts» revenus à la vie. Le patient, sur la table d'opération, dont le coeur a cessé de battre, se sent peut-être flotter sur son propre corps tout en observant les médecins qui tentent de lui sauver la vie. De la même manière, quelqu'un placé dans une condition de décorporation, mais par ailleurs bien portant, peut lui aussi se retrouver comme flottant hors de son corps, ce qui lui permettrait de voir et d'entendre toutes sortes de choses, vu sa condition d'«homme invisible» face aux autres personnes dans la pièce et même en dehors de la pièce.

Il n'est pas facile de placer ces méthodes de recherche dans le cadre des techniques scientifiques du vingtième siècle. Le fossé est trop large entre les cas colorés et les exigences de la science, laquelle demande qu'une expérience soit répétée. La même distance existe entre l'expérience de laboratoire, unique mais convaincante, par exemple dans un test de décorporation, et les exigences de la statistique qui se base sur des centaines d'évaluations.

Les parapsychologues modernes travaillent d'arrache-pied pour créer des liens entre les expériences spontanées et celles du laboratoire. En même temps, ils jettent des ponts pour raccorder des concepts connexes mais néanmoins distincts. Par exemple, prenons l'idée que quelque chose appelé «l'âme», est l'élément qui survit à la mort corporelle. Alors, si nous pouvons établir que quelque chose de semblable à l'âme existe, en dedans ou en dehors de notre corps vivant, n'est-t-il pas juste également de supposer que c'est cette même «âme» qui, par après, survit au cadavre? Ce n'est là qu'une hypothèse parmi d'autres, dans le but de jeter des ponts.

Selon une autre hypothèse établie par les parapsychologues, il y a des gens doués pour la *télépathie* (lecture de la pensée des autres) et pour la *clairvoyance* (vision d'événements à distance, mais non par l'intermédiaire de la pensée d'une autre personne). Ainsi, quand un médium prétend que l'esprit des morts lui a parlé, et que ce médium dit à un participant des choses que seul ce participant pouvait savoir, ce médium peut avoir simplement lu la pensée du participant. Les sceptiques disent qu'il n'y a pas là preuve qu'un esprit était présent, ou encore qu'il y ait une vie après la mort, mais simplement — ce qui est quand même beaucoup — que le médium est un bon télépathe. Comment alors distinguer la télépathie et la clairvoyance, d'une part, de la communication avec les esprits, d'autre part?

C'est ce dilemme qui amena le docteur J.B. Rhine, le

parapsychologue le plus réputé des Etats-Unis, à abandonner la recherche sur la vie après la mort dans les années 1930; il ne pouvait dire si un médium lui présentait une communication avec les esprits ou s'il pratiquait la perception extra-sensorielle, ce qui inclut la télépathie et la clairvoyance. L'un des collaborateurs du docteur Rhine, le docteur Karlis Osis, entreprit des expériences de perception extra-sensorielle qui laissent croire que la télépathie diminue avec la distance. Cependant, calculat-il, si une personne capable de communiquer avec les esprits était de la partie, il n'y avait pas de diminution. Poussant le concept plus loin, il mit sur pied un réseau mondial de médiums qui reçurent l'ordre de se «brancher» à une heure donnée, compte tenu des différents fuseaux horaires. Il tenta d'obtenir des fragments de communication de chaque médium, dans le but de les réunir plus tard en un modèle cohérent de mots et de phrases. Il donna à cet exercice le nom d'expérience «liaison»[1], parce que cet exercice avait pour but de lier les médiums entre eux. Il travailla aussi avec d'autres chercheurs et ces derniers organisèrent et enregistrèrent des expériences dans diverses parties du globe. L'expérience était ainsi réglée que les résultats devaient être statistiquement valides.

Comme vous pouvez le voir, les chercheurs modernes ont fait preuve de beaucoup d'imagination, en mettant au point des expériences ingénieuses pour transformer l'invisible en quelque chose de non seulement visible mais de scientifiquement acceptable. En agissant ainsi, ils durent abandonner l'espoir originel des chercheurs de la deuxième moitié du dix-neuvième siècle. Cet espoir et cet objectif avaient été de communiquer avec les esprits d'une manière directe, convaincante et scientifiquement acceptable. Les techniques de séances se rapprochèrent de plus en plus des techniques de laboratoire. La tricherie, consciente

---

1. *Linkage experiment* dans le texte.

ou non, avait dû être bannie. L'expérimentateur n'avait plus droit à son penchant ou à une implication émotive. Les plans et les évaluations de tests furent soumis à des examens de plus en plus rigoureux.

Une façon d'éliminer l'erreur humaine fut l'effort déployé pour construire une machine capable de communiquer avec les morts. Tel que je l'ai noté dans mon livre *They Knew The Unknown,* le fabuleux inventeur Thomas A. Edison avait des idées bien définies sur cette matière. Il révéla ses plans à son ami, B.C. Forbes, fondateur du magazine financier *Forbes,* et ceux-ci furent publiés sous le titre «Edison tente de communiquer avec l'autre monde», dans *The American Magazine* d'octobre 1920. Edison consigna ces mêmes opinions dans son journal personnel. Sa pensée fut exprimée de la façon suivante:

«Si notre personnalité survit, il est alors logique et scientifique de supposer qu'elle retient la mémoire, l'intellect, et autres facultés, ainsi que la connaissance que nous avons acquise sur terre. En conséquence, si la personnalité existe après la mort, il est raisonnable de conclure que ceux qui quittent cette terre aimeraient communiquer avec ceux qu'ils ont laissés ici.» Edison ajouta qu'il avait «tendance à croire que notre personnalité serait capable par la suite d'affecter la matière». Il dit également: «Si ce raisonnement est juste, si nous pouvons mettre au point un instrument assez délicat pour être affecté, influencé ou manipulé... par notre personnalité, telle qu'elle survivra dans l'autre vie, un tel instrument, quand il sera à notre portée, devrait enregistrer quelque chose.» Mais il ne croyait pas que les dispositifs des chambres de séances fussent appropriés. Il dit plutôt: «Certaines méthodes, maintenant en usage, sont si rudimentaires, si enfantines, si peu scientifiques qu'il est étrange que tant d'êtres humains raisonnables puissent y recourir. Si jamais nous réussissons à établir la communication avec des personnalités qui ont quitté ce monde, ce ne sera certainement pas à l'aide de ces objets enfantins, inappropriés aux yeux des scientifiques.»

Plus tard, dans un article sur Edison, publié dans le magazine *Liberty,* une vieille connaissance de l'inventeur, Allen L. Benson, confirma qu'Edison «se demandait s'il ne serait pas possible de fabriquer une machine qui permettrait à l'au-delà de s'affirmer sans l'aide de médiums ou d'autres facteurs humains». C'est précisément ce qu'un groupe de chercheurs, répartis dans le monde, tente actuellement de faire. Certains travaillent séparément sur des dispositifs spéciaux et sophistiqués; d'autres, des centaines, tentent maintenant d'enregistrer la voix des esprits sur ruban, sans la contribution de ce qu'Edison appelait «médiums ou autres facteurs humains».

Avant de clore ce chapitre d'entrée en matière et de raconter avec plus de détails les approches circonstancielles modernes de la vie après la mort, je veux ajouter quelques mots personnels. Jusqu'à maintenant, j'ai été actif en parapsychologie pendant plus de deux décennies. J'ai passé douze de ces années en étroite association avec Madame Eileen J. Garrett, le médium dont la performance amena le docteur Rhine à abandonner sa recherche en laboratoire sur la survie de la personnalité humaine après la mort, et à se concentrer sur les perceptions extrasensorielles. Au cours de ces années, j'ai assisté à des centaines de séances, rencontré une grande variété d'agents psycho-sensibles et de scientifiques intéressés à l'après-vie, tout en me bâtissant une solide immunité contre ce qui peut être une fascination dangereusement attrayante pour ces «autres mondes».

En effet, je ne suis pas immunisé contre la question éternellement tentante: «Vivons-nous après la mort?» Comme tant d'autres qui, plus tard, s'emploieront à des travaux moins émotifs ou deviendront même sceptiques pour ne pas dire antagonistes militants, ma première fascination porta sur la question de l'après-vie. Je me souviens très bien de ma première visite chez un médium, le défunt Frank Decker, qui vivait alors dans un appartement, en retrait du Central Park West, à New York. Par une chaude journée d'été, je me rendis en métro chez Decker et j'étais, cela va de soi, nerveux. Plus tard, pendant la séance, une entité m'adressa la parole d'une manière apologétique, pleine de contrition, soulignant sa grave erreur d'avoir dénoncé une certaine «Margery». Vu qu'il était «de l'autre côté», il avait changé d'avis au sujet de la vie des esprits et il essayait de corriger les erreurs qu'il avait commises plus tôt.

Sur le coup, je ne compris rien à cette affaire. Quelques années plus tard, plus au courant de l'histoire de la recherche psychique aux Etats-Unis, je me rendis compte que l'entité qui s'était adressée à moi s'identifia comme étant le docteur Walter Franklin Prince, jadis directeur scientifique de l'*American Society for Psychical Research* (ASPR) et, pendant quelque temps, de la *Boston Society for Psychic Research*. Le docteur Prince, d'ordinaire sceptique, souvent sévère, étudia le phénomène entourant le médium «Margery» Crandon, qui atteignit la renommée et renversa virtuellement l'ASPR. A ce jour, son rôle reste encore controversé. Houdini, le magicien, était de ceux qui étaient décidés à la dénoncer, et le cas «Margery» connut une publicité nationale, même mondiale.

Assis dans l'obscurité de l'appartement de Frank Decker, je ne savais rien de toute cette histoire. Le nom de «Margery» n'éveilla en moi aucun souvenir. Mais quand l'une des entités me dit que je n'avais pas raison d'être anxieux, en me rendant à cette séance, je fus étonné. J'étais, sans contredit, le seul à connaître l'état d'esprit dans lequel je me trouvais, en me rendant chez Decker, partagé entre l'impatience et le malaise. Jeune et inexpérimenté, je fus très impressionné.

Naturellement, j'ai observé, de nombreuses fois,

Eileen Garrett dans des états de transe, et j'ai pu converser des heures avec ses deux esprits-guides, Uvani et Abdul Latif. Plusieurs des amis et des «fanas» de Madame Garrett étaient choqués de son refus d'admettre publiquement la validité de la vie après la mort. Elle avait été un médium pratiquant pendant plus de quarante ans, mais elle repoussait ses admirateurs en leur disant: «Eh bien, peut-être qu'Uvani et Latif ne sont rien d'autre que des boutures provenant de ma propre personnalité. Qui peut le dire?» Je la taquinais en lui disant qu'elle croyait à une après-vie les lundis, mercredis et vendredis, qu'elle était froide agnostique les mardis, les jeudis et les samedis, et que le septième jour, elle se reposait! Cela la faisait sourire. En 1965, avant de quitter la *Parapsychology Foundation*, je lui ai fortement suggéré de donner une réponse définitive à cette question si souvent posée au sujet de sa propre croyance en une vie après la mort. Au moins dans son dernier livre. Elle publia *Many Lives* (1967), mais ne répondit pas à la question. Elle mourut en 1970, emportant la réponse avec elle.

Je crois qu'Eileen Garrett était tout à fait sincère dans son attitude d'espoir et de doute. Elle aurait, sans contredit, fort bien accepté les efforts actuels en vue d'atteindre, par des moyens nouveaux de recherche, à l'éternelle question. Incapable de donner une réponse péremptoire, elle avait établi sa fondation, en partie du moins, pour fournir aux chercheurs les moyens de s'adonner à la recherche qui apporterait un jour une réponse incontestable.

Voilà. Peut-être avons-nous réussi à nous mettre en marche!

2

L'interrogation ultime de l'homme

La pratique ancestrale de rester en liaison avec les morts, et la croyance en une vie après la mort, peuvent très bien constituer l'origine de toute religion. L'un des documents les plus anciens que l'on puisse consulter, les «tables babyloniennes», appelées *L'épopée de Gilgamesh*, traite des démarches qui conduisent le protagoniste dans le monde obscur des morts où il cherche une réponse à sa question: «Pourquoi l'homme doit-il mourir?» Dans son oeuvre magistrale, *The Golden Bough*, Sir James G. Fraser avance l'idée qu'en rêvant aux morts, l'homme primitif croyait être en communication avec eux. Dans la Grèce et la Rome antiques, on utilisait, pour parler aux morts, des dispositifs nombreux apparentés à la table Ouija des temps modernes.

On trouve encore, en Alaska, en Sibérie et en Asie du Sud, cet héritage commun appelé *chamanisme*. Un *chaman* est un médecin mâle; les «sorciers» des autres civilisations utilisent ses transes et ses contacts avec l'au-delà. En Afrique, au Brésil et en Amérique centrale, on a toujours recours aux transes pour établir un contact entre les vivants et les morts, ou avec les divinités (morts et divinités étant des termes presque synonymes).

A tout prendre, ces tentatives de communication avec les morts ne sont-elles que superstitions primitives? Ou encore, les sociétés préindustrielles croyaient-elles instinctivement que l'homme est immortel? En Angleterre, pendant l'ère victorienne, ces questions furent posées à un moment où les progrès rapides de la science, de l'industrie et de la technologie, menaçaient les croyances en cours. Les écrits de John Stuart Mill sur la philosophie de la science éveillèrent le public à une nouvelle appréciation de la méthode scientifique. Le livre de Charles Darwin, *De l'origine des espèces au moyen de la sélection naturelle,* publié en 1859, exerça une immense influence sur la culture occidentale. Sa démonstration voulant que l'homme d'aujourd'hui soit le produit de la lente évolution d'un être primitif porta un dur coup aux croyances religieuses basées sur la création. Le peuple perdit peu à peu foi en ses principes religieux tels la création du monde, l'immortalité et la résurrection. De ce fait, la fréquentation des églises diminua. Au tournant du siècle, la science était toute-puissante et les gens se désintéressèrent des dogmes et de la théologie: si l'homme survit à la mort, prétendaient-ils, il nous faut plus que la promesse de la Bible pour y croire. Les intellectuels du jour exigeaient des preuves scientifiques et c'est à cette époque que de nombreux philosophes, psychologues et physiciens recherchèrent des preuves empiriques de la survie de l'homme à la mort.

Les philosophes de Cambridge, en Angleterre, furent parmi les premiers à organiser la recherche en ce sens. Les plus notoires de ce groupe furent le professeur Henry Sidgwick, le «père de la philosophie anglaise», F.W.H. Myers, son élève, et Edmund Gurney, un philosophe doublé d'un savant. Tous ces hommes étaient fascinés par les problèmes de religion. Soit dit en passant, ils étaient tous fils de pasteurs, mais ils découvraient que l'immortalité et la résurrection avaient peu de mérite scientifique. Afin de conserver leur foi et d'étayer les doctrines chrétiennes, ils se mirent à la recherche d'une formule empirique et découvrirent un étrange culte américain qui, depuis les années 1850, faisait rage en Europe: le *spiritisme*. Ce culte enseignait que l'homme pouvait communiquer directement avec les morts par l'intermédiaire de médiums, à l'occasion de séances, et que, d'autre part, les morts pouvaient également communiquer avec les vivants au moyen d'apparitions, de hantises ou par télépathie. Sidgwick, Myers et leur collègues conclurent que l'étude sérieuse du spiritisme apporterait des témoignages scientifiques acceptables d'une vie après la mort.

En 1882, ces savants se groupèrent avec plusieurs autres chefs du spiritisme pour fonder la *Society for Psychical Research* (SPR). Cette société avait pour but d'étudier tous les aspects des phénomènes psychiques, mettre de côté la fraude et l'illusion, pour ne retenir que les témoignages authentiques. De plus, cette société établit des normes rigoureuses d'évidence et publia les communications de ses membres. Bien que la SPR fit l'étude de beaucoup d'autres phénomènes que celui de la survie, un grand nombre de ses fondateurs, plus particulièrement F.W.H. Myers, s'employèrent principalement à la question hautement émotive de l'au-delà.

Au début, les fondateurs de la SPR amassèrent et étudièrent les cas de manifestations psychiques spontanées et en 1886, Gurney, Myers et Frank Podmore publièrent un recueil de cas sous le titre de *Phantasms of the Living,* un volume de quelque 1 300 pages, comprenant des chapitres sur la télépathie, les apparitions et les prémonitions. Le volume ne traitait, toutefois, que de cas pouvant confirmer ou infirmer l'existence d'une vie après la mort; en 1889, un autre relevé fut entrepris pour étudier plus directement ce sujet et la même année la SPR distribua, en Grande-Bretagne, un questionnaire:

«Avez-vous déjà eu, alors que vous étiez sûr d'être totalement éveillé, une forte impression de voir une personne vivante, mais absente, ou d'être touché par elle, ou d'entendre une voix, impression qui, selon toute vraisemblance, n'était pas l'effet, d'une cause extérieure?»

La SPR reçut 2 272 réponses affirmatives provenant de 17 000 personnes. A la grande surprise des chercheurs, pas moins de 300 correspondants avouèrent avoir déjà eu des apparitions. Dans 80 cas, la «personne apparue» était morte depuis peu ou devait mourir peu de temps après. (Ces cas furent nommés «apparitions de crises» et furent définis comme portant sur des personnes mortes douze heures avant ou après l'apparition. De ces quatre-vingts cas, trente-deux méritaient qu'on y crût. Par exemple, le spectateur peut avoir informé quelqu'un de l'apparition avant que lui-même apprenne la mort du sujet. Dans dix cas, il fut prouvé que le spectateur ne s'attendait pas à la mort du sujet. Un compte rendu du relevé parut en 1894 sous le titre de *Report of the Census of Hallucinations*. Voici un cas typique adressé à la SPR, en 1890, par Mme G. Adeleine Baldwin, du temps où elle vivait en Inde.

«J'étais la nièce favorite de mon oncle E. de C. Nous avions fait tous les deux un pacte qui engageait le premier qui mourrait à apparaître à l'autre. J'avais environ vingt-cinq ans à l'époque. Il me dit: «Tu n'auras pas peur; mais si Dieu le permet, je viendrai à toi.» Ceci arriva à Camareah, en 1860. J'étais alors veuve et je vivais dans la maison de mon oncle; plus tard, je me remariai et j'habitai à Umritsur. Or, un matin de décembre 1863, vers 4 h, à un moment où j'étais assise dans mon lit en tenant mon bébé dans mes bras, je vis mon oncle. Il était couché sur le sofa du salon et semblait à l'article de la mort; je vis également son porteur et la servante de ma tante; ils se croisèrent dans la chambre, me virent et soupirèrent. Je dis à mon mari: «Regarde, mon oncle se meurt», et je lui décrivis la scène; il crut la chose si remarquable qu'il se leva et prit des notes. Sur-le-champ, il écrivit à mon cousin C. pour s'informer de mon oncle; mon cousin répondit de Mir-zapour que mon oncle était mort presque subitement d'une défaillance cardiaque, après quatre jours de maladie, exactement à la date et à l'heure de l'apparition.

C'était le genre de cas qui intéressait la SPR: un personnage indépendant est témoin de l'incident (le mari de Mme Baldwin qui prend des notes); Mme Baldwin ne sait pas que son oncle est souffrant; et l'oncle meurt dans sa maison exactement comme l'avait décrit Mme Baldwin.

Les cas racontés dans *Census of Hallucinations* sont tous plus intéressants les uns que les autres. En 1891, un homme raconte à la Société qu'au moment d'un séjour en Inde, il s'éveilla une nuit et vit, près de son lit, l'image de son père qui vivait en Angleterre. «Adieu Jim! lui dit-il. Je ne te reverrai plus!» Quelques semaines plus tard, Jim reçut une lettre l'informant que son père était mort au moment exact de l'apparition.

Ces cas font sans doute réfléchir, mais prouvent-ils la survie de l'homme après la mort? Les pionniers de la SPR ne partageaient pas les mêmes opinions sur ce sujet. Edmund Gurney, le principal auteur des *Phantasms of the Living,* ne le croyait pas; il s'intéressa longtemps à la télépathie, et croyait que les apparitions de crise étaient une forme de communication télépathique. Il prétendait que les apparitions ne sont pas de réels objets physiques mais des hallucinations télépathiques; il soutenait l'hypothèse que le spectateur avait probablement reçu une impression télépathique de la mort. Gurney faisait aussi remarquer que lors d'apparitions, les sujets se présentent normalement vêtus, ne sont parfois vus que par une seule personne dans la pièce et vont même jusqu'à passer à travers les murs! Ces facteurs, croyait-il, infirment l'authenticité des apparitions qui, en réalité, ne présentent pas des entités physiques.

F.W.H. Myers, d'autre part, rappelle que certaines apparitions ont été vues collectivement, c'est-à-dire par plusieurs personnes à la fois. Il croit qu'un certain élément de l'esprit du mourant visitait le spectateur, lui faisant part de sa présence. Cela veut donc dire, affirmait-il, que les apparitions confirment réellement la capacité de l'esprit à survivre à la mort corporelle.

A ceci, Gurney répond que la personne sensible à l'apparition pourrait, par télépathie, contaminer les autres occupants de la pièce de manière à les amener à voir l'image. Pour Myers, rien ne supporte cette théorie et la discussion tourna en rond.

Cependant, les chercheurs de la SPR concentrèrent rapidement leur attention sur un phénomène davantage propre à établir l'évidence d'une après-vie. Ce sont les apparitions qui se produisent des années après la mort de la personne vue. En 1890, la SPR avait déjà recueilli au-delà de 370 cas de ce genre. Dans certains de ces cas, le «mort apparu» aurait même communiqué des informations jusque-là inconnues du «receveur». Par exemple, où trouver un testament égaré. L'un des cas les plus étonnants de ce genre porte la désignation «the scratched cheek case» (le cas de la joue égratignée) à cause de l'évidence particulière apportée par l'apparition.

L'histoire est racontée par M.F.G. (Son vrai nom n'est pas révélé.) La soeur de M.F.G. était morte du choléra à l'âge de dix-huit ans et F.G. vit l'apparition de sa soeur, neuf ans plus tard, lors d'un voyage d'affaires à Saint Joseph au Missouri. Pendant qu'il se reposait dans la chambre de son hôtel, il eut soudain l'impression qu'il y avait quelqu'un d'autre dans la pièce; regardant autour de lui, il fut frappé de voir devant lui l'image fidèle de sa soeur morte depuis longtemps. Toutefois, l'apparition était défigurée par une longue balafre rouge sur la joue et le fantôme disparut sans rien dire. Aussitôt rentré chez lui, F.G. fit part de l'affaire à ses parents et à son grand étonnement, sa mère lui raconta qu'au moment de préparer le cadavre pour les funérailles, elle avait, par accident, égratigné la joue de sa fille. Elle avait couvert la blessure de pommade et, honteuse, n'en avait jamais soufflé mot. La télépathie peut-elle expliquer ce cas? Si oui, le message venait de qui? de la soeur? de la mère? Bien que la SPR amassât un grand nombre de récits d'apparitions posthumes, l'analyse ne conduisit pas à la preuve de l'immortalité de l'homme. Edmund Grundey se rendit compte que de tels cas, même les plus révélateurs, ne pouvaient être expliqués par sa théorie sur la télépathie. Myers, d'autre part, s'ancra davantage dans ses croyances et en vint à considérer les apparitions posthumes, pour autant qu'elles soient véridiques, comme une preuve d'une vie après la mort.

Vers 1890, les chercheurs de la SPR commencèrent à délaisser les fantômes et les apparitions pour orienter leurs efforts vers un champ d'observation tout aussi nouveau que prometteur. Comme je l'ai dit plus haut, les pionniers de la SPR portaient une grande attention au spiritisme qui, né aux Etats-Unis, s'était répandu en Europe. Les médiums proliféraient, clamant leur pouvoir de faire bouger les tables avec l'aide des esprits, de parler aux morts, de concrétiser leur image et souvent d'engager le dialogue avec eux. La plupart de ces démonstrations frôlaient la fumisterie; la fraude et la crédulité régnaient en maîtres. Les chefs de la SPR firent enquête sur une multitude de médiums; peu valaient qu'on s'y arrête.

Tout changea en 1885, quand l'éminent psychologue-philosophe américain William James fit savoir à la SPR qu'il avait trouvé, à Boston, un remarquable médium, Madame Leonore Piper. Incognito, James avait visité ce médium, elle était tombée en transe et avait amené plusieurs des parents défunts de James à donner correctement leurs noms, leur degré de parenté, etc. La SPR fut impressionnée par le rapport de James et elle mandata l'un de ses principaux investigateurs, du nom de Hodgson, pour faire enquête sur Mme Piper. Le travail de Hodgson était simple: confirmer les prétentions de cette femme ou les dénoncer.

Le très critique enquêteur qu'était Hodgson prit en main les séances de Mme Piper; il les organisa de manière à ce que Mme Piper ne connaisse pas l'identité des participants. En fait, Hodgson demandait à Mme Piper d'entrer en transe avant l'arrivée des invités. Toutefois, aussitôt que Mme Piper était en transe, un autre «personnage désincarné» prenait charge de son corps; il se faisait appeler Phinuit, prétendait être médecin, originaire de France, parlait avec un accent français, et proposait aux participants d'amener leurs amis décédés en ne semblant faire que ça.

Par exemple, à la première séance de Hodgson, quelques-uns des parents défunts de celui-ci furent décrits avec exactitude. Il tenta de faire passer une certaine parente mais ne réussit qu'à identifier la lettre R, première lettre de son prénom, cette parente étant une soeur de Hodgson nommée Rebecca. Phinuit entreprit ensuite de décrire un nommé Fred, et Hodgson admit que toutes les informations révélées étaient absolument conformes à la réalité.

Mais Phinuit n'avait pas encore terminé; il identifia une ancienne fiancée de Hodgson et affirma qu'elle était présente.

Le bon docteur s'intéressant de plus en plus au genre mélodramatique, Hodgson ménagea une rencontre entre Mme Piper et un dénommé Robertson James. Pendant la séance, Phinuit annonça à James la mort soudaine de sa tante Kate qui venait de se joindre à lui dans le monde des esprits; James n'en crut rien, bien que sa tante fut légèrement malade. De retour à la maison, James trouva un télégramme lui annonçant la mort de sa parente.

Dans le but d'évaluer davantage les aptitudes de Mme Piper, Hodgson et les dirigeants de la SPR décidèrent d'inviter le médium à se rendre en Angleterre. Là, les audiences pourraient se dérouler sous stricte surveillance, le médium n'ayant aucune possibilité d'étudier auparavant ses invités. La SPR n'entendait d'ailleurs lui amener que des étrangers et, prévenue de ces conditions, Mme Piper s'embarqua pour l'Angleterre en 1889.

Bien que les expériences fussent tenues sous surveillance étroite, Phinuit n'eut aucune difficulté à faire passer des renseignements intimes touchant les parents défunts des enquêteurs de la SPR. Sir Oliver Lodge, un des chefs de la Société et un éminent physicien anglais, eut une longue série de séances avec Mme Piper. En guise d'épreuve, Lodge présenta à Phinuit une vieille montre de poche qu'il avait empruntée à son oncle Robert spécialement pour la circonstance. Dès que Phinuit toucha la montre, une voix sortit du médium en transe et cria: «C'est ma montre, Robert est mon frère et je suis ici! Oncle Jerry, ma montre!» L'entité relata plusieurs des aventures de son ami et Lodge en était stupéfié; la montre qu'il avait remise à Mme Piper avait réellement appartenu à l'oncle Jerry. En s'enquérant auprès de son oncle Robert et d'un autre parent, Lodge pu confirmer tout ce que Mme Piper lui avait communiqué et Phinuit lui fournit même des détails sur la mort de son père.

En dépit de l'évidente habileté psychique de Mme Piper, les chefs de la SPR n'étaient pas encore convaincus d'être en contact direct avec les morts; même Hodgson était de cet avis. Il croyait plutôt que Mme Piper, lorsqu'elle était en transe, usait de télépathie pour faire parler ses invités; il allait même jusqu'à prétendre que son subconscient captait les renseignements et bâtissait des personnalités secondaires qui imitaient tout simplement les parents des invités. En fait, la théorie de Hodgson servit à expliquer plusieurs particularités de la médiumnité de Mme Piper; par exemple, Phinuit avait parlé de sa vie en France, mais les enquêteurs de la SPR n'en purent rien vérifier. Quand on dit à Phinuit que son histoire n'avait rien prouvé, il la changea! Il ne parlait même pas couramment français; parfois l'information qu'il donnait sur les défunts s'avérait fausse. A cause de ces anomalies, plusieurs chercheurs conclurent que Phinuit n'était pas un esprit autonome mais une bouture spirituelle du médium. Au contraire, Lodge et Myers furent très impressionnés par les prétentions de Mme Piper et crurent que le médium était en contact avec les morts.

Même Hodgson en vint à changer d'avis; en 1892, la médiumnité de Mme Piper subit un profond changement: elle se mit à pratiquer l'écriture automatique et à livrer ses communications par écrit plutôt que verbalement. (En fait, pendant une phase de sa carrière, elle pouvait livrer, à la fois, les messages venant de deux entités différentes: l'une oralement, l'autre par écrit.) George Pelham, nouveau «guide», c'est-à-dire celui qui préside une séance, remplaça peu à peu Phinuit comme chef communicateur, ce qui amena Hodgson à changer d'attitude envers Mme Piper.

De son vivant, Pelham avait été un vieux copain de Hodgson et il lui avait même promis de communiquer avec lui après sa mort; et c'est exactement ce qu'il fit. Pendant les mois qui suivirent, Pelham transmit à Hodgson des centaines de détails sur sa vie. De vieilles connaissances de Pelham furent introduites dans la salle de séance alors que Mme Piper était déjà en transe. Invariablement, Pelham reconnaissait ces personnes, les appelait par leur nom, racontait des souvenirs communs, allait même jusqu'à les appeler par les sobriquets qu'il leur adressait de son vivant. Dans un second rapport sur Mme Piper, Hodgson abandonna sa théorie télépathique et affirma que les entités qui communiquaient à travers Mme Piper étaient réellement ce qu'elles prétendaient être: des morts.

En dépit de la conversion de Hodgson, plusieurs chefs de file de la recherche psychique de l'ère victorienne persistèrent à croire que la télépathie et la clairvoyance pouvaient expliquer les «exploits» de Mme Piper. Non seulement, croyaient-ils, un médium peut «pénétrer» l'esprit de ses clients, il peut «pénétrer» l'esprit de n'importe qui dans le monde. Et la dispute continua entre les tenants de la survie et leurs adversaires.

Cependant, un différent type d'évidence médiumnique étayant l'idée de la survivance apparut dans l'écriture automatique de Mme Piper ainsi que dans le travail d'autres médiums que la SPR découvrit au tournant du siècle. Myers et d'autres fondateurs de la SPR moururent vers 1901. Après cette date, les leaders de la Société qui travaillaient encore avec Mme Piper et d'autres médiums sentirent que la personnalité de Myers tentait de communiquer avec eux par l'entremise de plusieurs médiums. Ces messages durèrent des mois. Les chercheurs finirent par découvrir que Myers ne donnait à un même médium qu'une partie de son message, tandis qu'il donnait le reste à un ou deux autres. Les messages n'avaient de sens que si les parties étaient réunies; ces casse-tête intriguaient toute l'équipe et souvent faisaient allusion à la littérature classique, à l'histoire, à la mythologie. On connaissait l'érudition de Myers mais souvent les médiums avaient du mal à le suivre et les écritures, appelées «recoupements»[1], devinrent extrêmement complexes. Il semblait que l'intérêt porté par Myers au travail de la SPR l'incitait à fournir une évidence que personne ne pouvait rejeter.

Par exemple, en 1906, Myers s'exprima sur des thèmes tels que la mort, le sommeil, les ombres, le crépuscule, le soir et le matin. Il le fit par l'intermédiaire de l'écriture automatique de Mme Holland qui vivait en Inde. Vers cette date, Mme Piper, sortant d'une transe, dit: «Tête de Maure — laurier pour Laurier. Je dis: donnez-lui ceci pour laurier. Au revoir.» Mme Piper vit également apparaître un Noir. Le lendemain, tandis qu'elle

---

1. *Cross-correspondence* dans le texte.

était encore en transe, elle dit qu'on pouvait trouver la clé du message secret en examinant quelques passages de l'écriture automatique de Mme A.W. Verrall, un autre médium de la SPR. On trouva cette suggestion également dans les écrits de Mme Holland. De toute évidence, Myers tentait un recoupement et le mois suivant, la fille de Mme Verrall écrivit automatiquement: «La tombe d'Alexandre — feuilles de laurier, emblème, lauriers pour le front du vainqueur.» Peu après, Mme Holland révéla: «Noirceur, lumière et ombre. La tête d'Alexandre le Maure.» Un autre médium ajouta les mots: «Creusez une tombe parmi les lauriers.» Il faut souligner que les médiums de la SPR n'avaient aucun contact entre eux, pas plus qu'ils ne connaissaient les messages reçus par leurs collègues.

Tout devint clair lorsqu'un autre médium du groupe, Mme Wellett, communiqua quelques mois plus tard: «Tombe laurentienne, aube et crépuscule». Il s'agissait du tombeau des Médicis, le laurier étant l'emblème de Laurent le Magnifique, Alexandre le nom d'Alessandro de Medici, appelé le Maure parce que mulâtre. On y voyait également l'aube et le crépuscule; et ainsi de suite.

Que pouvons-nous conclure de la méthode des recoupements? Plusieurs dirigeants de la SPR croyaient que les communications étaient commandées par une volonté extérieure. Ils tenaient ce plan ingénieux pour l'oeuvre de Myers qui voulait prouver avoir survécu à la mort. Pour les sceptiques, tous les médiums de la SPR auraient pu, par télépathie, échanger leurs messages entre eux. Le débat sur l'«évidence» à tirer des messages par recoupements dure encore de nos jours; mais le jugement le plus pertinent porté sur ces messages vient de l'éminent parapsychologue britannique contemporain, le docteur Robert Thouless. Il écrit dans son livre *From Anecdote to Experiment in Psychical Research:*

«Si c'est là une expérience conçue... de l'autre côté de la tombe, je crois qu'elle doit être tenue pour mal planifiée. On y trouve une masse de matériel d'une authenticité douteuse, ce qui donne lieu à des opinions diverses. Elle reproduit les défauts des expériences médiumniques ordinaires en les amplifiant; une expérience réussie doit apporter une réponse claire et sans équivoque, autrement elle ne vaut pas la peine d'être menée. Jugée par ce critère, l'expérience par recoupements n'est donc pas une expérience réussie.»

Néanmoins, les efforts pour établir l'évidence d'une vie après la mort ne s'arrêtèrent pas avec la retraite de Mme Piper. Ce genre de recherche se poursuivit tout aussi rondement de 1910 à 1940. Les années 1920 et 1930 furent particulièrement fructueuses, grâce à la participation d'un autre médium, Mme Gladys Osborne Leonard, qui se mit au service des chercheurs de la SPR.

Un ecclésiastique britannique, le Révérend C. Drayton Thomas, fasciné par la possibilité que l'évidence d'une vie après la mort soit établie scientifiquement, devint un enquêteur passionné, mais il se rendait compte de l'importance de combattre l'idée de télépathie dans la cueillette d'information. Pour obvier à cet inconvénient, il imagina, pour son travail avec Mme Léonard, ce qu'il appela des «séances par procuration»; il voulait par là entrer en communication avec une entité désincarnée qu'il ne connaissait pas, mais au profit de quelqu'un d'autre. Par exemple, il aurait pu être mis en rapport avec la défunte femme d'un ami; une fois le rapport établi, il s'en remettait à son ami pour l'évaluation. Le plan de Thomas avait pour but de séparer, autant que possible, le médium de la personne vers qui la communication était dirigée. Thomas croyait ainsi réfuter les objections voulant que le médium puise ses renseignements par télépathie dans le cerveau des participants.

Le cas «Bobbie Newlove», que Thomas publia en 1935 dans les *Proceedings* de la SPR, constitue un bon exemple d'expériences par procuration; en 1932, il reçut une lettre touchante de M. Herbert Hatch qui faisait appel à ses services et à ceux de Mme Léonard pour entrer en rapport avec son petit-fils Bobbie, mort de diphtérie à l'âge de dix ans. Thomas doutait de la valeur d'un enfant de dix ans dans une telle expérience, mais fit savoir à Hatch qu'il essaierait.

On tint onze séances de communication avec Bobbie. L'enfant parla librement au médium et l'entretînt, en particulier, d'une salière en forme de chien qu'il avait eue en cadeau de son vivant. En général, toutefois, Bobbie ne communiquait pas directement; il donnait l'information à Feda, le guide de Mme Léonard, qui la répétait à Thomas. Bobbie et Feda s'entretinrent également d'un costume qu'il avait déjà porté, d'une blessure qu'il s'était faite au nez, et nomma même correctement les rues qui bornaient son école. Finalement, Bobbie essaya de fournir des détails sur sa mort; il mit la faute sur la mauvaise condition de certains tuyaux près de son école. A première vue, le message semblait loufoque, mais on découvrit par la suite que Bobbie aimait jouer près des tuyaux dans le voisinage de l'école et que les tuyaux laissaient échapper de l'eau dans des mares stagnantes. Selon toute apparence, Bobbie était tombé malade après avoir bu cette eau.

Les expériences par procuration de Thomas sont sans doute intéressantes mais elles ne constituent certainement pas une évidence à toute épreuve d'une vie après la mort. Si un médium peut s'approvisionner au cerveau d'un participant présent, pourquoi pas à celui d'une personne vivant à des centaines de milles? On a même des indices que cette sorte de super-perception extra-sensorielle se produit au cours de séances médiumniques.

En 1921, S.G. Soal, l'éminent parapsychologue britannique, entreprit une série d'expériences avec Mme Blanche Cooper, un médium réputé, qui tenait ses séances au quartier général du *British College of Psychic Science*. Le plan de Soal reposait sur son désir de communiquer avec son défunt frère Frank. L'expérience allait bon train quand tout à coup Frank dit: «Sam, j'ai amené quelqu'un qui te connaît.» Peu après, Soal eut le choc de sa vie lorsqu'une voix lointaine mais familière le salua. «Alors Soal, je ne croyais jamais te parler dans ces conditions», dit la voix. Soal ne put d'abord identifier la voix mais le communicateur ajouta: «Tu te souviens, Davis — Gordon, de R-R-Roch-Roch.» Dans sa surprise, Soal interrompit la voix et s'exclama: «Par Jupiter, ça ressemble fort à Gordon Davis aussi!»

Dans son rapport, Soal écrivit, pour autant qu'il s'en souvenait, que la voix était identique à celle de Gordon Davis. Gordon Davis, vieux confrère de classe, du moins Soal le croyait-il, était mort à la guerre. Au cours des séances suivantes, Davis rappela des souvenirs à Soal, tels que le nom de l'école qu'ils avaient fréquentée tous deux, des détails de leur dernière conversation, et même la description des meubles de sa maison. D'un point de vue scientifique, l'expérience s'annonçait bien.

Plus tard, Soal reçut un autre choc, plus grand encore. Il découvrit que Davis était bel et bien vivant et qu'il habitait Londres. En réalité, il s'était acheté une maison au moment même ou son «esprit» avait salué Soal, lors de la séance avec Mme Cooper. Soal ne pouvait que conclure une chose: par télépathie, Mme Cooper lui avait pillé le cerveau, et probablement celui de Davis. Mais Soal n'était pas au bout de ses émotions. Lorsqu'il rencontra Davis, il apprit qu'au moment des séances de Mme Cooper, celui-ci n'avait pas encore meublé sa maison, mais que plus tard, il la meubla exactement comme Mme Cooper l'avait dit. En d'autres termes, Mme Cooper avait fait preuve de précognition pour raconter comment Davis plus tard décorerait sa maison.

Le cas de Gordon Davis, publié dans les *Proceedings* de la SPR, en 1925, donna un coup mortel à la prétendue évidence obtenue, en pareil cas, par le truchement de médiums. Ce cas semblait prouver, une fois pour toutes, que les investigations et les communications médiumniques — quel que soit leur degré d'évidence — ne pourraient jamais prouver qu'il y a une vie après la mort. De nos jours, soit cinquante ans plus tard, peu de parapsychologues attendent des médiums la réponse au problème de la survivance. Même si on rencontre de nombreux cas de médiums qui ont parlé des langues qu'ils n'avaient jamais apprises, ou encore ont écrit automatiquement une écriture conforme à celle de personnes mortes depuis longtemps, les parapsychologues ont tous abandonné, dans leur recherche de l'après-vie, ce genre d'expériences.

Pendant ses années de croissance, la recherche psychique connut quelques tentatives hautement ingénieuses dans le domaine de l'immortalité de l'homme. Toutefois, la SPR ne limita pas ses efforts à ce sujet. Par exemple, en 1907, un médecin de Boston nommé Duncan MacDougall rapporta ses travaux sur le poids du corps humain après la mort. Tel que consigné dans sa communication, intitulée: «Hypothèse sur la matière de l'âme; Evidence expérimentale d'une telle substance» (publiée dans le numéro de mai 1907 du *Journal of the American Society for Psychical Research)*: Si l'âme survit à la mort et réside dans le corps, elle doit alors posséder un poids pondérable. Ce qui veut dire qu'après le départ de l'âme, le corps doit subir une perte de poids.

Dans le but d'étayer sa théorie, MacDougall obtint le concours de plusieurs patients atteints de tuberculose avancée. A l'approche de la mort, chacun d'eux fut placé sur une balance de précision. Dans plusieurs cas, MacDougall constata qu'au moment même de la mort, le corps de chacun de ses sujets perdait une couple d'onces. L'évaporation de la sueur ou l'éjection de l'air des poumons ne pouvaient expliquer ce phénomène.

MacDougall procéda à ces expériences au *Massachu-*

setts General Hospital où il était employé. Personne ne put jamais fournir une «explication acceptable» concernant les résultats. Devant l'opinion publique qui tenait ces expériences pour immorales, MacDougall dut interrompre ses travaux.

En même temps, en Europe, Hyppolite Baraduc, un parapsychologue français, tenta de photographier le corps au moment de la mort. Il espérait pouvoir fixer sur pellicule l'image d'une sorte de substance éthérée à sa sortie du cadavre. La mort de sa femme lui offrit l'occasion d'obtenir quelques images montrant des «formes de lumière» flottant au-dessus du corps. Encore une fois, personne ne put expliquer ces résultats.

Les pionniers de la recherche psychique furent les premiers intellectuels à étudier d'une manière scientifique la possibilité de la survivance de l'âme. Leurs travaux aboutirent à un mélange de succès et de faillites. D'une part, ils démontrèrent que le cerveau de l'homme comprend plusieurs facultés psychiques. Ils amassèrent également une masse d'indices expérimentaux et circonstanciels laissant croire que la personnalité humaine continue d'exister après la mort corporelle. Mais, d'autre part, ces travaux ne réussirent jamais à prouver cette possibilité d'une façon irréfutable. Trop de facteurs vinrent brouiller les constatations. Toutefois, les pionniers de la recherche psychique conservent le mérite d'avoir projeté sur la scène scientifique la grande question de l'immortalité de l'âme. La voie est ouverte; il appartient aux chercheurs modernes de continuer à l'explorer.

3

Les phénomènes Moody

La motocyclette d'Ivor Potter s'écrasa; inconscient, il fut transporté à un hôpital voisin. «Quand je me suis réveillé à l'hôpital, raconta-t-il plus tard, je flottais en dehors de mon corps, entouré d'une lumière dorée.» Ce n'est pas là l'impression d'un homme porté vers les fantaisies spirituelles. Ingénieur en téléphonie, Potter se décrivait comme un terre-à-terre. Poursuivant son récit, il ajoutait: «J'ai continué de monter jusqu'à ce que j'atteigne un beau jardin dans un pays paisible. On voyait au loin une chaîne de montagnes bleues.»

Au moment de son accident, Potter avait 26 ans. Il qualifia son expérience de «sensation merveilleuse» et il aurait voulu qu'elle se poursuive. Il avoua avoir rencontré son père, tué dans un accident de la route, deux semaines auparavant, et ce dernier lui commanda de retourner sur terre, à cause de sa mère et de sa soeur qui avaient besoin de lui.

A contrecoeur, Potter y retourna et vit, dès son retour, près de son lit, sa mère et sa soeur qui pleuraient. Selon le médecin appelé à son chevet, Potter affirma qu'il était déjà mort!

Quelle influence cette expérience exerça-t-elle sur Potter, maintenant âgé de 48 ans?

«Autrefois, j'avais peur de mourir. Maintenant, mon inquiétude, c'est de ne pouvoir accomplir de mon vivant tout ce que je me propose de faire.»

Le cas d'Ivor Potter ouvre ce chapitre parce qu'on connaît son vrai nom, sa profession et on sait qu'il habite à Bude, Cornwall, en Angleterre. On connaît de nombreux cas semblables, mais non identifiés. D'autres ne sont que de la pure statistique.

C'est là l'oeuvre d'un homme qui a recueilli 150 cas de ce genre. Son nom: le docteur Raymond Moody, qui a incité les gens comme Potter à venir raconter leur histoire. Potter et des douzaines d'autres ont raconté leur expérience de «décorporation» au journal londonien *The Sun*. Ces expériences particulières, ainsi que leurs effets, sont en tout point semblables à celles colligées par le docteur Moody aux Etats-Unis. Le sentiment de flotter au-dessus du corps, la rencontre avec des parents défunts, de même que l'attitude sereine face à la mort, comptent parmi les thèmes constamment rencontrés par Moody.

Le fait que la collection de Moody se soit propagée si rapidement outre-mer est caractéristique, je crois, de la manière positive avec laquelle Moody a levé le voile sombre du tabou qui recouvrait l'expérience de la mort. Par milliers, des hommes et des femmes ont perdu leur répugnance à relater leurs expériences exceptionnelles, certains de ne plus passer pour des individus bizarres.

Depuis la publication de son livre *Life after Life* (Atlanta 1975), *(La vie après la vie,* Robert Laffont), Moody a beaucoup voyagé. Il a parlé à des milliers de gens, leur apportant non seulement un recueil d'histoires fascinantes, mais surtout un sentiment de vivacité et d'assurance. Dans ses écrits, tout comme dans ses rencontres privées ou publiques, le Dr Moody suscite une confiance qui amène les gens à se confier comme jamais ils ne l'ont fait auparavant.

Au début de 1977, j'eus l'occasion de discuter des «phénomènes Moody» avec un vieil ami, lors d'un souper à Washington, D.C. Jimmy Carter venait d'être élu président des Etats-Unis, et les Américains se familiarisaient avec l'attitude et les manières des «gens de Carter», les nouveaux venus de Georgie, le «Nouveau Sud». Moody vient aussi du pays de Carter. Né en Georgie, en 1945, il vécut à Macon, à environ soixante-cinq milles de Plains, d'où vient le clan Carter. Mon ami, journaliste et ancien haut fonctionnaire du gouvernement, était maintenant un chef d'entreprise. Une semaine auparavant, il avait entendu une causerie du Dr Moody.

«Vous savez, déclara-t-il, je crois que Moody joue, dans ce pays, le rôle d'un éveilleur, tout comme les gens de Carter. Vous sentez qu'il n'est pas compliqué, qu'il n'a aucun «message» à vous livrer et qu'il tente seulement de partager avec vous ses étonnantes découvertes, c'est-à-dire qu'il semble y avoir réellement «une vie après la mort», ou si vous préférez, «une vie après la vie». Vous sentez qu'il a touché à l'évidence, qu'il n'est pas encore sûr d'y croire mais qu'il doit de toute façon vous mettre dans le coup.»

De plus, il y a sa syntaxe qui est celle des gens de Carter. C'est d'une sudicité facile. Elle sied à merveille aux accents de Harvard et au débit rapide des New-Yorkais. Moody est folklorique, mais d'un folklore sophistiqué. Il ne rate aucun truc. Il vous laisse savoir qu'il est professeur de philosophie en vous donnant l'impression que devenir philosophe est aussi facile que de prendre un bain. Il vous apprend, avec modestie, qu'il est médecin, comme si ce n'était pas plus difficile que de lancer un caillou. Armé de ce bagage, il vous raconte qu'il est sur le point de devenir psychiatre.

Réalisme ou cynisme washingtonnien? Le docteur Moody a de bonnes lettres de créance, mais il vous invite à ne pas y faire trop attention. Partout au pays, il a tenu les mêmes propos à des auditoires différents. A l'*American Society for Psychical Research,* à New York, j'ai le compte rendu d'une conférence qu'il a donné aussi à Montréal, et je me rends compte qu'il est non seulement un philosophe-médecin-psychiatre, mais qu'il a, comme l'acteur professionnel, le talent de vous faire sentir qu'il ne parle qu'à vous, que son discours jaillit spontanément de son esprit.

«Du point de vue de la science, je n'ai rien prouvé, avoue Moody. J'ai rassemblé des «histoires» de gens qui ont connu la mort clinique. Plus j'en entendais, plus elles semblaient confirmer qu'il y a une vie après la mort. Ces histoires ne constituent pas des preuves, et je ne les présente pas comme telles. Vous devez vous rendre compte que, moi aussi, j'ai des préjugés. J'aime croire qu'il y a une vie après la mort, une vie après la vie, ce qui affecte sans doute mon jugement et ma manière de recueillir ce genre d'histoires.»

Quand Moody parla devant l'*American Society for Psychical Research,* il y avait, dans l'auditoire, au moins une douzaine d'hommes et de femmes qui avaient consacré une bonne partie de leur vie à étudier le problème de la survivance de la personnalité humaine après la mort. Mais le Dr Moody les désarma, eux aussi. Il leur dit: «Je me rends compte que je m'y connais peu en recherche psychique et en parapsychologie, mais j'essaie de me rattraper.»

Un des correspondants de Moody, Danion Brinkley, raconta au *Washington Post* (le 27 mars 1977) comment il avait été frappé par la foudre, alors qu'il parlait au téléphone. Il y avait de cela environ dix-huit mois. «Entre le moment où ma femme me trouva et le moment de mon arrivée à l'hôpital, j'ai dû être réanimé trois fois. La foudre paralysa mon système nerveux... et la douleur fut intense. Je passais d'une réalité à l'autre. Le choc me projeta au plafond et sur le mur», raconta Brinkley. Au moment de l'accident, Brinkley était âgé de 27 ans et vivait à Aiken, en Caroline du Sud. Il continua son récit: «Tout à coup, je vis un *être de lumière*. Une lumière d'une pureté indescriptible. Ce n'était pas un être physique. Je me trouvais à un endroit calme et paisible, et je baignais dans un univers aux couleurs alternant entre le bleu et le gris. J'ai ressenti simultanément des émotions diverses que, plus tard, j'ai pu expliquer.

Le docteur Moody adore raconter l'histoire d'une femme, enceinte de huit mois, et atteinte d'une affection microbienne. A l'hôpital, on provoqua l'accouchement; la femme perdit beaucoup de sang et le personnel s'alarma. La femme, elle-même infirmière, se rendit compte qu'elle était en danger et perdit connaissance.

Elle se vit sur un bateau voguant sur une grande nappe d'eau. «Au loin, sur le rivage, relate-t-elle, je vis tous mes chers défunts, ma mère, mon père, ma soeur, et d'autres. Je pouvais voir leur figure comme je les voyais de leur vivant. Ils m'appelaient, me demandaient d'aller vers eux, mais je refusai prétextant que je n'étais pas prête.»

Au même moment — ce qui est typique de ces expériences extra-corporelles — l'infirmière pouvait voir le personnel de l'hôpital s'affairant autour d'elle; elle le voyait comme l'aurait vu un simple curieux. Planant au-dessus de son propre corps, elle tenta de rassuer le médecin, lui disant qu'elle n'allait pas réellement mourir. Evidemment, personne ne l'entendait. Et tout à coup, sur la table d'opération, son «corps extérieur» et son âme se fondirent avec son «cadavre inconscient». Elle reprit connaissance.

Que ce soit à l'occasion d'une réunion intime ou d'une grande assemblée publique, le docteur Moody raconte ces histoires en ayant l'air de s'excuser. Vous voyez qu'il deviendra un excellent psychiatre tout comme il est devenu un professeur extraordinaire. Il débite son récit exactement comme il lui fut raconté par la patiente elle-même, ou par un collègue. «Evidemment, ajoute-t-il, cela vous semble fantastique, tout comme à moi; mais je vous relate l'histoire pour ce qu'elle vaut.»

Il puise généreusement chez les philosophes et chez les chefs religieux — Platon, saint Paul, Emmanuel Kant. En dépit de ses diplômes, il n'a pas la science hautaine. Il est confortablement grassouillet, aime les beaux habits. Bref, il n'a nullement l'air du «messie de l'après-vie». En ce sens, la syntaxe et le style de cet homme rappelle les «gens de Carter». Raymond Moody, médecin, fut coulé dans le moule de la «Nouvelle Amérique» et ses observations, doucement présentées, se marient très bien à la manière d'être de la «Nouvelle Amérique».

Medical News, le tabloïd publié par l'*American Medical Association,* demanda au docteur Elisabeth Kübler-Ross de faire la critique du livre de Moody. Ses commentaires parurent sous le titre: «Mourir — et Vivre pour en parler». Elle rappela qu'elle avait étudié des «cas identiques», et avoua être impressionnée par la confirmation que le travail de Moody ouvrait une route fertile par où chercher la lumière sur le sujet de la vie après la mort, sujet de plus en plus traité à l'occasion de colloques. Le docteur Ross est l'initiatrice de tels colloques tenus partout aux Etats-Unis et organisés à l'intention des médecins, des infirmières, des patients atteints de maladies graves, et des endeuillés. Elle ajouta: «Considérant la croissance de la recherche psychique ainsi que le nombre grandissant de volumes traitant de conseils à donner aux mourants, il est heureux de voir un médecin, doublé d'un scientifique, faire preuve de courage en explorant une nouvelle avenue dans le but d'élucider les expériences de ceux et de celles qui ont vu la mort de près. Par ces récits,

Moody contribue à atténuer la crainte que ressentent tant de personnes à l'approche de l'instant suprême.»

Le docteur Kübler-Ross met l'accent sur le fait que «l'homme n'est pas seulement un corps physique; au contraire, il recèle des dimensions beaucoup plus grandes, que nous sommes en voie de comprendre». Certains diront que ces «autres dimensions» de l'homme ont été le sujet de sérieuses spéculations depuis le temps des anciens philosophes, des théologiens, des religions monothéistes et, plus près de nous, depuis les débuts de la recherche psychique, il y a plus d'un siècle. Tout cela est certain, mais il n'en reste pas moins vrai que le docteur Moody, par son approche toute particulière, a su canaliser l'intérêt du public comme aucun autre chercheur n'avait su le faire auparavant.

Les savants de la parapsychologie moderne, en mal de statistiques, ne présenteraient probablement jamais le cas d'une femme, victime d'une défaillance cardiaque, qui, comme dit Moody, s'est d'abord retrouvée à l'intérieur d'un vide noir pour ensuite se déplacer vers un brouillard gris. Tel que résumé par l'hebdomadaire britannique, *Psychic News,* la femme pouvait voir à travers ce brouillard et reconnaître «les gens qu'elle avait connus sur la terre», mais elle parvenait difficilement à trouver les mots pour décrire son expérience. Le docteur Moody, lui, attribue à une telle expérience le qualificatif «ineffable». Pour une fois, Moody, emploie un terme technique; il aurait pu tout simplement dire «indescriptible». Cette difficulté de raconter une expérience avec des mots justes se rencontre dans plusieurs manifestations psychiques, mystiques ou religieuses.

De toute façon, baignant dans les «vapeurs de l'au-delà», la victime d'une défaillance cardiaque était incapable de trouver les mots pour décrire sa joie de retrouver les membres de sa famille. Elle vit un parent, mort depuis plusieurs années, son oncle Carl. Il semblait lui barrer la route. «Ton travail sur terre n'est pas terminé; maintenant retourne!» commanda-t-il.

A contrecoeur, n'ayant pas d'autre choix, elle réintégra son corps. Aussitôt que son âme désincarnée fut rentrée dans son corps blessé, elle ressentit une grande douleur à la poitrine et entendit son petit garçon pleurer et s'écrier: «Mon Dieu, redonnez-moi ma maman!»

Evidemment, c'est là du ouï-dire. Moody reconnaît facilement qu'un cas comme celui-ci repose sur la frêle mémoire d'une femme, sous le stress de la douleur et de la crainte. La peur pourrait avoir modifié son métabolisme physique et même son métabolisme psychique. D'étranges changements psychochimiques sont causés par le stress et la douleur. Le corps est armé de ses propres moyens de défense contre l'insupportable; l'un de ces moyens est la fuite dans l'hallucination.

Moody défend admirablement le terrain conquis. Il admet qu'on peut interpréter de façons différentes les «cas de sa collection», mais comme il l'écrit dans son livre, ses observations ne lui permettent aucunement de conclure à l'évidence. Au contraire, il fait plutôt face à «quelque chose de beaucoup moins défini — des sentiments, des questions, des analogies, des faits intrigants qu'il doit élucider». Le docteur Moody, modeste, laisse son auditoire connaître ses réactions intimes.

Il trouve «très persuasive» la situation d'une personne qui tente de décrire une expérience. «Comme ces «expériences», dans le voisinage de la mort, sont très réelles pour ces gens, à cause de mon association à eux, elles sont également devenues réelles pour moi,» explique-t-il.

J'ai entendu Moody dire aux membres de l'*American Society for Psychical Research,* à New York, que le docteur Kübler-Ross et lui connaissent plus de personnes «mortes une fois» que tout autre individu. Si jamais ils avaient la fantaisie d'organiser un «conventum» de tous ceux qui ont déjà fait le voyage de la mort, aller-retour bien sûr, il leur faudrait louer la salle de bal d'un grand hôtel. Est-ce à cause de sa tendance naturelle à communiquer ou la cordialité de ses entretiens, Raymond Moody est enclin, verbalement, à voir dans ses travaux des preuves d'une vie après la mort et à convaincre ses auditoires.

Moody est persuasif, et même s'il évite de prendre parti, ses auditeurs ou ses lecteurs le suivent facilement dans sa démarche. Pour Moody, les expériences à l'approche de la mort constituaient un champ tout à fait nouveau quand il l'aborda; c'est pourquoi il décrit les expériences avec le même respect que le voyageur découvrant les gigantesques sculptures de l'île de Pâques. Pour sa part, le plus âgé des praticiens en ce domaine, le docteur Robert Crookall — à qui je consacre plus loin un chapitre — a recueilli, avec la patience d'un bénédictin, des centaines et des centaines de cas de ce genre.

L'innocence de Moody le sert admirablement. S'il n'a pas lu les ouvrages de Crookall, le travail de Moody confirme les observations du chercheur britannique. Une image que Moody rencontre fréquemment est celle du tunnel qui va de l'expérience intra-corporelle à l'expérience extra-corporelle. Dans son livre *More Astral Projection* (Londres, 1964), le docteur Crookall écrit: «Au passage d'un état à l'autre, il se produit un *blackout* qui, pour un grand nombre de sujets, fait penser à un tunnel.» Pour sa part, Moody souligne, dans *La vie après la vie,* le fait que de nombreux sujets ont eu l'impression d'être tirés très rapidement dans un espace sombre. Même si d'autres termes furent employés, tels caverne, puits, fossé, enclos, entonnoir, vide, égout, le mot tunnel revint le plus souvent.

Moody évoque le cas d'un patient ayant subi une réaction violente à l'anesthésie. Il a cessé de respirer. Tout à coup, le patient se mit à se déplacer dans un vacuum noir à une vitesse extrême. «Vous pourriez comparer cela à un tunnel, je suppose», dit-il. Un autre employa les mots «un passage étroit et très très sombre». Crookall a extrait de ses dossiers les expressions fréquemment utilisées de «long tunnel», de «long et sombre tunnel», de «tunnel totalement noir», de «passage sombre» et de «tunnel noir».

Je suis d'avis que les travaux de Moody et de Crookall se complètent. Octogénaire, le docteur Crookall est le chercheur chevronné, alors que Moody, docteur en philosophie, occupe la place de chercheur cadet qu'il a lui-même choisie. Avec la candeur qui lui est propre, il avoue «n'être pas très au courant de la vaste documentation sur les phénomènes occultes et paranormaux». Cela nous fait comprendre pourquoi il dit du phénomène de la presque-mort «qu'il est à la fois très répandu et très bien caché». Apparemment, c'est là la somme des connaissances que possédait Moody, au temps où il écrivit son livre, mais à la lecture de son dernier volume, *Lumières nouvelles sur la vie après la vie,* publié à New York, en 1977, on se rend compte que ses connaissances se sont considérablement é-largies.

Le second livre de Moody couvre plus de deux autres années de recherches sur le phénomène de l'ap-proche de la mort. Ce livre relate plusieurs centaines de «cas reçus» de partout. Ces nouvelles recherches con-firment ses premiers travaux, mais apportent également des éléments nouveaux sur la période voisinant la mort, ainsi que sur les expériences de décorporation. Ce livre of-fre un éventail d'observations personnelles qui permettent au lecteur de comprendre le cheminement de Moody. Aussi, Moody propose une méthodologie de la future recherche médicale appliquée à ces phénomènes.

Si Crookall est le collectionneur par excellence, la for-ce de Moody se situe dans le domaine de la catégorisation.

---

1. Version française chez Robert Laffont, Paris.

Pour présenter les dénominateurs communs à «l'expérience de la vie après la vie», sous forme anecdotique, Moody a imaginé un cas composite formé de quelque quinze éléments divers, lesquels reviennent sans cesse dans les cas réels. Il a construit une expérience théorique «idéale» et «complète» qui regroupe tous ces éléments communs. En voici la description.

Un homme se meurt, ayant atteint la limite de sa résistance physique. Il entend le médecin le déclarer mort. Confronté à un bruit désagréable, il se sent ensuite emporté à une extrême vitesse dans un long et sombre tunnel. Après ce déplacement, il se trouve tout à coup en dehors de son corps physique, tout en restant dans le même environnement, ce qui lui permet de regarder à distance son propre corps comme le ferait un spectateur. Il assiste aux tentatives de réanimation, spectacle qui lui cause des émotions désagréables.

Après un moment, il se ressaisit et s'habitue à son étrange condition. Il constate qu'il a encore un «corps», mais d'une nature bien différente et doté de pouvoirs également bien différents de ceux du corps étendu devant lui. Bientôt, d'autres événements se produisent. D'autres «personnes» s'approchent pour l'aider. Il entrevoit les esprits de parents, d'amis défunts. Comme jamais dans le passé, il ressent un sentiment d'amour et de chaleur. Tout à coup apparaît devant lui un «être de lumière». Sans recourir à des mots, cet être lui demande d'évaluer sa vie, projetant devant lui une vision instantanée et panoramique des principaux événements de son existence. Il approche d'une barrière, limite probable de la vie terrestre et de l'autre. Toutefois, il sent qu'il doit revenir sur terre, l'heure de sa mort n'étant pas arrivée. La curiosité aidant, il résiste à l'invitation de rentrer. Il est envahi d'intenses sentiments de joie, d'amour et de paix. En dépit de son refus, il réintègre toutefois son corps physique et retrouve la vie.

Plus tard, il essaie d'en parler aux autres, mais il éprouve de la difficulté à le faire. D'abord, il ne trouve pas les mots. Quand il essaie, on se moque de lui. Alors il cesse d'en parler. Cependant, cette expérience lui pèse profondément. Son attitude vis-à-vis la mort et la vie en est affectée.

Quels sont les dénominateurs communs que Moody a décelés dans les «150 cas» qu'il a étudiés et les «50 autres» qu'il a suivis?

Comme nous l'avons dit plus tôt, il y a le «caractère ineffable» de la description, c'est-à-dire la difficulté qu'éprouvent les sujets à traduire par des mots leur expérience, leurs observations, leurs impressions, de manière à être compris et crus. Plusieurs affirmèrent qu'au moment où leur être intangible flottait au-dessus ou autour de leur corps physique, ils entendaient quelqu'un dire qu'ils étaient morts. Nombreux sont ceux qui font état de bruits ou de bourdonnements déplaisants, surtout au début de leur expérience de décorporation réelle qui, pour presque tous, survient à l'improviste, leur causant une surprise agréable.

Conformément aux observations des autres chercheurs, en particulier du docteur Karlis Osis (voir chapitre 6, «Ce que voit le mort»), plusieurs morts apparents ont affirmé avoir rencontré d'autres êtres, la plupart du temps des parents et des amis défunts qui tentent de mettre à l'aise les nouveaux venus, en formant une sorte de comité d'accueil. Selon Moody, «ce qui constitue peut-être l'élément commun le plus incroyable» est la rencontre avec «une très brillante lumière», éblouissante et souvent indescriptible.

L'identification de cette «lumière» dépend pour beaucoup de la culture religieuse et des attentes du sujet. Moody écrit: «Le premier contact avec l'être de lumière et ses questions non verbales sont le prélude d'émotions intenses pendant lesquelles l'«être» présente au sujet une vision panoramique de sa vie.»

Beaucoup de «cas» du docteur Moody font aussi mention d'une «zone frontière», parfois représentée par une nappe d'eau (symbole aussi vieux que l'*Epopée de Gilgamesh,* de l'ancienne Babylone), parfois par une «ligne» qu'on a la permission ou pas de franchir. Comme les récits colligés par Moody viennent de sujets qui ont recouvré la vie, aucun d'eux n'a franchi la frontière. Pour plusieurs, le retour à la vie est parfois dramatique et leurs souvenirs souvent teintés de nostalgie, bien que Moody n'emploie pas ce mot. A moins d'être particulièrement encouragés à raconter leur expérience de décorporation, la majorité des sujets le disent peu disposés à le faire. Les mots viennent si difficilement. Pour d'autres, c'est le conditionnement culturel: qui les croirait? Et les prendra-t-on pour des cinglés?

Moody avoue que ses constatations provoquèrent des interrogations académiques et professionnelles. Il tire la conclusion que nos vies sont influencées par l'image que nous nous faisons de la mort. «Nous ne pouvons pas, écrit-il, comprendre pleinement cette vie avant d'avoir jeté un regard sur l'au-delà.» La réaction populaire fut positive et générale. La nouveauté du domaine exploré par Moody incita les gens à lire ses livres et à partager ses positions.

Les parapsychologues professionnels, pour la plupart, passèrent outre aux travaux de Moody; ils étaient rivés à leur ordinateur, dans l'espoir de découvrir exactement ce que Moody racontait. Toutefois, dans le *Journal of the American Society for Psychical Research* (juillet 1975), le docteur Michael Grosso décrivit le livre de Moody comme «la première tentative soutenue pour examiner le cas de personnes qui ont survécu à la mort clinique». Grosso, un membre du Département de philosophie et de religion du *Jersey City State College,* au

New Jersey, dit encore: «Les progrès de la technologie médicale sont probablement de nature à augmenter le nombre de pareils cas. De l'étude de ces cas, naîtra peut-être une nouvelle sorte d'évidence touchant au problème de la survie, à quoi s'ajoutent d'autres types d'évidence, tels les expériences de décorporation, les observations au moment de la mort apparente, de même que les cas de réincarnation.» Le docteur Grosso conclut que Moody ouvre «un important territoire de recherche pour les parapsychologues désireux de se lancer dans de nouvelles avenues menant à l'élucidation du problème de la survie de l'homme après la mort».

Une autre critique du livre de Moody parut dans *The Humanist* de janvier-février 1977, sous la plume du docteur Russell Noyes, fils, qui a lui-même étudié un nombre important de cas semblables à ceux du docteur Moody. Coiffant son texte du titre «Y a-t-il une nouvelle évidence d'une vie après la mort?», Noyes cite des études datant de la dernière partie du dix-neuvième siècle et résume une partie de ses propres travaux, notamment une étude faite en collaboration avec R. Kletti, intitulée: «La dépersonnalisation face à un danger mortel», *(Psychiatry, 39, 1976)*. Noyes et Kletti concluaient à «une déviation de l'état de conscience normale, dans la plupart des cas fort semblable, sans être identique, à celle décrite par Osis». Voici ce qu'ils ont recueilli.

«La plupart des personnes déclarèrent que le temps ralentissait et que les événements semblaient se produire au ralenti, tandis que les pensées se présentaient rapidement avec un éclat inusité. Plusieurs notèrent le calme, un état privé d'émotion, en dépit d'une perception aiguë du danger. Un certain nombre se virent en spectateurs, détachés d'eux-mêmes ainsi que des événements se déroulant autour d'eux. Le plus grand nombre se sentirent étranges et irréels; d'autres trouvèrent le monde environnant étrangement distant. Plusieurs notèrent que leurs facultés visuelles et auditives ainsi que leur sensibilité corporelle s'étaient aiguisées; d'autres ressentirent le contraire. Certains affirmèrent que leurs pensées affluaient sans effort. Les souvenirs lointains se matérialisaient avec rapidité.»

Avec beaucoup d'à-propos, Noyes demande: «Le docteur Moody présente-t-il quelque évidence d'une vie après la mort corporelle?» Il répond: «Non, il ne le fait pas. D'abord, il n'a affirmé d'aucune façon que ses sujets étaient morts, bien qu'ils fussent près de la mort. En réalité, aucun cas récent n'établit la survivance à la mort. Une telle preuve ne doit pas nécessairement être difficile: *rigor mortis,* par exemple, constitue une preuve acceptée de tous.» Noyes place le matériel de Moody dans la catégorie religio-physiologique de l'expérience mystique sur laquelle on trouve des appuis parmi «un certain nombre de religions répandues et de croyances culturelles». «Ces croyants, dit-il, prétendent qu'ils «savaient» la vérité parce qu'ils y sont allés.»

Le docteur Noyes conclut que si la vie se termine dans un «tel état de conscience mystique, l'expérience peut aboutir A L'ACCOMPLISSEMENT DE SES CROYANCES les plus chères». Il serait alors satisfait. «Même si la conviction d'une vie heureuse après la mort s'avère trompeuse, c'est probablement une conviction utile. Il vaut mieux mourir et voir venir la mort dans un état d'espérance mystique que de désespoir.» C'est là un généreux point de vue. «Mon interprétation est que, selon le docteur Noyes, l'impact des travaux de Moody se situe dans le domaine du positivisme religio-mystique. Cela ne peut pas faire de mal; cela peut même faire beaucoup de bien. Mais ce n'est pas de la Science avec un grand «S».»

Le docteur Moody ne prétend pas avoir approché ses «sujets» avec les outils de la science, en utilisant soit un rat de laboratoire ou une table de logarithmes. Ce qu'il a fait — combinaison d'innocence et de persévérance — c'est de marcher directement dans le courant, largement souterrain, du besoin émotif, effort conjoint de la science et de la religion.

Si Moody avait conquis ses doctorats en Divinité ou en Théologie, plutôt qu'en Philosophie et en Médecine, l'impact de ses travaux aurait probablement été moindre. Lors d'une causerie donnée à la *National Presbyterian Church,* à Washington, le 18 mars 1977, Moody répéta ne pas avoir fait une investigation proprement scientifique, ne pas avoir fourni de preuve d'une vie après la mort, et ne pas vouloir convaincre qui que ce soit de quoi que ce soit. Il précisait: «Je trouve ces expériences particulièrement fascinantes et dignes d'attention.» «Mais, concéda-t-il, comme les gens veulent toujours savoir ce que je ressens, subjectivement, je crois, personnellement, en la survivance de l'être humain après sa mort.»

Au point où en sont les choses, je vois Moody comme un homme qui a remplacé la chaire par le lutrin. Il connaît le lien entre les deux: il se plaît à citer saint Paul, qui disait aux Corinthiens: «Il y a les «corps célestes» et les «corps terrestres»; la gloire des «corps célestes» est une chose, celle des «corps terrestres» en est une autre.»

4

Le pèlerinage du
Docteur Kübler-Ross

Au printemps de 1977, il tombait une pluie froide sur Baltimore. Chose étrange, l'une des plus vastes et des plus prestigieuses églises de la ville était remplie à capacité. Une telle affluence ne s'était vue qu'à l'église Grace Methodist, le jour de Pâques.

Mais le 20 mars, hommes et femmes s'y étaient rendus en masse pour entendre un inhabituel message d'un prédicateur aussi humble que savant en sa matière: ces fidèles entendirent une femme leur dire qu'il y a une autre vie après la vie terrestre.

La personne qui suscitait cet intérêt sans précédent s'appelait Elisabeth Kübler-Ross, psychiatre née en Suisse. Elle avait à plusieurs reprises ou électrifié ou choqué des millions d'Américains par ses violents et logiques réquisitoires à l'appui de la croyance en une après-vie. Après la prédication de Baltimore, au milieu d'une foule émue, une femme émit l'opinion que le docteur Ross montrait «le courage du lion et la vulnérabilité de l'agneau».

Une autre reprochait à l'orateur de s'être rangée trop facilement du côté de la réincarnation et ajoutait: «Cette sorcière se fait aimer même de ceux qui ne sont pas de son avis.»

Habituée aux invités classiques de la télévision, la foule semblait déceler, chez le docteur Kübler-Ross, des qualités d'intelligence novatrice et d'érudition, une aisance toute naturelle doublée d'une totale absence de prétention. Ceux qui ont déjà entendu les causeries du docteur Ross, ou participé à ses colloques, partagent la même impression. Les auditeurs sentent qu'elle communie avec leurs sentiments les plus intimes. Tous se croient obligés de protéger cette femme délicate contre les critiques et les adversaires.

Lors de sa causerie de Baltimore, Elisabeth Kübler-Ross avait revêtu un tricot blanc à col roulé, des pantalons carrelés et des souliers confortables. Elle demanda qu'on place près d'elle des fleurs fraîchement coupées, comme elle le fait à toutes ses causeries.

Afin de pouvoir s'éloigner du lutrin et se déplacer à son aise, elle exigea que le microphone soit suspendu à son cou. Quand des auditeurs se plaignirent de ne pas l'entendre, elle monta dans la chaire de l'église, et tint son auditoire sous le charme de sa parole pendant trois heures.

Le docteur Ross exprima sa vive satisfaction de rencontrer tant d'étrangers. Son travail, sa vie, ses découvertes ont fait d'elle une complice des émotions de chaque homme et femme. Elle raconta comment son enfance ne lui avait pas permis d'être elle-même, d'exprimer sa propre personnalité. Dans le but de se forger une individualité, elle avait choisi une occupation jusqu'alors inconnue de la société. Non pour des raisons d'altruisme, confessa-t-elle, mais pour «se découvrir elle-même».

«Née en Suisse, par une chaude journée d'été, au terme d'une longue grossesse ardemment désirée», raconte-t-elle, dans son anthologie intitulée *Death: The Final Stage of Growth* (Englewood, N.J. 1975). Ses parents avaient un garçon de six ans, ils voulaient une fille. Elisabeth, ne pesant que deux livres, était la première de triplées. Cette rentrée précaire dans la vie expliquerait-il le choix de son orientation? On ne s'attendait pas à la sauver; non plus que ses soeurs. Mais l'amour maternel vint à bout du danger. A cause de cet exploit, Ross croit beaucoup en la puissance de l'attention qu'on porte aux autres.

Kübler-Ross se rappelle également un ami de son père, décédé peu après être tombé d'un arbre; durant ses derniers moments, il ne laissait voir aucune crainte de mourir, s'entretenait avec ses visiteurs, y compris la petite Elisabeth, qui se souvient de sa dernière visite chez lui. Après la mort de cet ami, elle aida la famille du défunt dans les travaux de la ferme. On peut lire dans ses écrits: «Chaque fois que nous rentrions une charretée de foin, j'étais convaincue qu'il nous voyait, tout joyeux.»

De même en fut-il quand la fille du médecin de notre village mourut. Un sentiment de solidarité et de tragédie commune fut partagé par tout le monde. A l'âge de cinq ans, atteinte d'une pneumonie, Elisabeth fut placée à l'hôpital pour enfants dans le plus strict isolement, sans jouets, mais aussi sans intimité. Elle ne voyait ses parents qu'à travers une vitre. Elle se retira, mentalement, dans un rêve de montagnes, de forêts, peuplées seulement d'animaux gentils. «N'eussent été ces rêves, et ces fantaisies, écrit-elle, je n'aurais pu sortir vivante de cette cage ennuyeuse.»

Bien qu'elle vécut dans la Suisse neutre et paisible, Elisabeth Kübler-Ross, à l'époque adolescente, connut la Deuxième Grande Guerre. Elle eut connaissance de l'immense tribut humain payé à la mort, surtout par les juifs, ainsi que de l'indescriptible souffrance de ceux qui s'opposèrent au régime nazi. Elle savait qu'il y avait des camps de concentration horribles. Lors de sa causerie à Baltimore, elle souligna le contraste entre le monde qui a produit Adolf Hitler, tout comme il a produit les saints modernes qu'on rencontre un peu partout sur la planète. «Avez-vous le courage de découvrir le Hitler en vous?» demanda-t-elle à ses auditeurs. A cette question, elle répond: «C'est seulement en combattant ces aspects négatifs que vous pouvez atteindre à l'amour vrai. Nous pouvons aimer et accepter les autres dans la mesure où nous nous aimons et nous nous acceptons nous-mêmes.»

Pendant les weeks-ends, Elisabeth donnait bénévolement son temps à un hôpital de Zurich, dans le but d'alléger les souffrances des réfugiés arrivant de l'Allemagne nazie. Il y avait des centaines d'enfants parmi eux. D'autres ne se déplaçaient qu'en fauteuil roulant et sur brancard. Au retour de la paix, tous les patients furent montés sur le toit de l'hôpital pour entendre les cloches qui n'en finissaient plus de sonner. «Je peux maintenant mourir; je voulais tant vivre pour voir la paix revenir sur la terre,» dit doucement une femme à l'article de la mort.

Peu après, Elisabeth voyagea à travers l'Europe de l'Est, dévastée, mettant ses talents médicaux au service des malheureux. En Pologne, elle visita l'intérieur du camp notoire de Maïdanek. De concert avec une jeune juive qui avait survécu au camp de concentration, Elisabeth établit un camp à Lucimia sur la Vistule. «Là, dit-elle, témoin de la pauvreté et de la misère, j'ai vécu plus intensément que jamais auparavant ou par la suite.»

Elle étudia la médecine à l'Université de Zurich, et fit un stage d'interne en psychiatrie aux Etats-Unis. En 1958, Elisabeth Kübler épousa le docteur Emmanuel Robert Ross, professeur de pathologie et de neurologie à l'Ecole Stritch de Médecine de l'Université Loyola. Elle est mère de deux adolescents, Kenneth et Barbara. Leur vaste maison de Flossmoor, au sud de Chicago, est l'oeuvre de Frank Lloyd Wright, et sert souvent de salle de réunion à l'occasion des séminaires de Ross.

C'est là l'esquisse d'une vie bien remplie, autant dans

sa profession qu'en sa qualité de mère et d'épouse. La carrière du docteur Kübler-Ross est marquée d'une rare et chaleureuse sympathie pour ses patients qui souffrent de voir arriver la mort. Elisabeth Kübler, plus que d'autres médecins, a résisté à l'immunité qui, trop souvent, menace ceux qui font office permanent d'assister les mourants. Dans le compte rendu d'une interview avec le docteur Kübler-Ross, le magazine *Practical Psychology for the Physician* (février 1976) admet la difficulté pour la plupart des médecins de communiquer avec les mourants ou avec leur famille. «La raison de cette attitude, explique Ross dans cet article, réside dans le fait que les médecins sont formés pour prolonger la vie et ils deviennent désorientés quand la guérison est impossible.»

Kübler-Ross croit que les médecins peuvent cultiver cette attitude de compréhension envers leurs grands malades. Ses séminaires sont précisément destinés à cette fin. Depuis 1960, le docteur Ross étudie les malades en phase terminale, dans le but de connaître davantage leurs réactions et de les aider dans leur voyage de la vie à la mort. Elle découvrit, rapidement, que l'étude de la mort et de la douleur est tenue pour tabou dans notre société. Sans doute n'en sommes-nous pas conscients. Alors assistante professeur de psychiatrie à l'Université de Chicago, Kübler-Ross découvrit, à son grand étonnement, que des cliniciens refusaient d'admettre qu'ils avaient sous leurs soins des patients en phase terminale, même chez les leucémiques. Le magazine des médecins poursuit son compte rendu: «Le docteur Kübler-Ross alla elle-même aux patients. Après avoir parlé à des milliers d'entre eux, à leur famille, à leurs amis, elle commença à diffuser chez les médecins, les infirmières, les travailleurs sociaux, les membres du clergé, et d'autres, l'information ainsi glanée.»

Deux livres sortirent de ces rencontres: *Of Death and Dying* (New York, 1969), qui résume le travail accompli en séminaires, et *Questions and Answers on Death and Dying* (New York, 1974), qui sert de complément au premier volume. Sa méthode connut une renommée nationale, peu après que le magazine *Life* eut publié un compte rendu de ses interviews avec Susan, une jeune fille de 21 ans, atteinte de leucémie mortelle. Ross invita Susan, dans sa classe, à l'université, et la jeune femme prit la parole: «Je sais que mes chances ne sont qu'une sur un million, mais aujourd'hui, je viens vous parler de cette chance.» Elle mourut le 1er janvier 1970. Cet événement produisit un changement profond chez le docteur Ross, qui décida de sortir de ses laboratoires, décidée à changer l'attitude de notre société envers la mort. Au début, elle fit face à un mur de pierre; mais, avec le temps, des auditoires de plus en plus nombreux vinrent l'écouter et la mitrailler de questions.

C'était comme si Kübler-Ross venait d'enfoncer une porte jusque-là infranchissable par les attitudes et les préjugés culturels niant le droit à la mort. Une autre percée d'importance dans la conscience populaire se produisit en 1975, quand elle répondit à la question d'une mère qui venait de perdre son enfant: «Ce n'est pas une affaire de croyance ou d'opinion. Je le sais, sans l'ombre d'un doute.» Depuis, le docteur Ross parle de la réincarnation d'une manière presque aussi décisive, disant à ceux qui l'interrogent: «Oui, notre recherche l'a vérifiée.»

Plutôt sceptique vis-à-vis des fantômes et de l'après-vie en général, Kübler-Ross a acquis ses convictions à partir de ses propres observations et impressions. Elle affirme: «Aider des patients ne veut pas dire que nous les aidons à mourir, mais plutôt que nous les aidons à vivre jusqu'à leur mort.»

«Les gens qui ont appris à vivre n'ont pas peur de mourir.»

A son avis, l'un des plus puissants appuis en faveur de la croyance en une après-vie est symbolisé par des enfants, aux approches de la mort; si on leur demande avec qui ils aimeraient se trouver dans l'au-delà, ils répondent invariablement: avec «Maman» ou «Papa» ou encore avec «Grand-Maman», ou Marie, ou Jésus, selon leur culture religieuse... mais toujours avec quelqu'un qui les a précédés dans la mort. Si tout cela n'était qu'hallucination, on rencontrerait certainement des cas où les enfants suggéreraient un parent toujours vivant.

On pourrait résumer comme suit les observations de Ross touchant la mort:

1- Chacun connaît le moment de sa mort.

2- Ordinairement, nous ne portons pas attention aux paroles d'une personne émotivement proche de nous qui nous apprend sa mort prochaine, ce qui nous fait rater une occasion exceptionnelle d'engager avec elle la conversation sur ce sujet.

3- La plupart des morts n'ont pas voulu forcément revenir sur terre.

4- Une personne, morte une fois, n'a plus peur de la mort.

5- Toute personne qui meurt est accueillie par un être aimé mort avant elle.

6- Il n'est pas nécessaire que l'approche de la mort confine le mourant dans l'isolement; c'est une expérience qui peut être profondément partagée par plusieurs.

7- Mourir constitue probablement l'apogée de la vie, de même que son expérience la plus belle.

8- A tout moment, il se trouve, à deux pieds de nous, des amis invisibles; ce qui veut dire que nous ne devons jamais nous sentir seuls.

9- Dans l'autre dimension, les concepts de temps ne sont plus les mêmes.

10- Dans l'autre vie, personne ne nous juge; nous nous jugeons nous-mêmes.

Après avoir recueilli des centaines de rapports venant de tous les groupes d'âge, Ross n'a pu extraire que deux concepts universellement admis, à savoir les deux raisons de notre existence: rendre service à l'humanité et répandre l'amour. La diffusion de ces concepts força le docteur Kübler-Ross à changer de rôle: de médecin-psychiatre, elle est devenue un personnage public. Cette promotion ne l'empêche pas de garder une grande simplicité et de protéger ses enfants contre ce qu'elle appelle le «détachement» de ceux qui grandissent dans la bourgeoisie, dans la banlieue blanche, protégés contre les coups durs de la vie réelle.

Pour lutter contre l'«encroûtement», Kübler-Ross installa avec sa famille, dans sa maison de Flossmoor, un patient qui n'avait plus que deux mois à vivre. Ce dernier entra dans la maison à regret, voir même avec hostilité. Les enfants devaient supporter quotidiennement la présence d'un vieil homme malade, malcommode, gâteux. La vérité c'est que cet homme vécut chez les Ross pendant deux ans et demi. Au fil des jours, le vieillard surmonta son propre mécontentement et la famille se mit à l'aimer de plus en plus, en dépit du fait qu'il n'était pas devenu l'homme le plus aimable qu'on puisse imaginer. Ross insiste: on ne peut virtuellement aider quelqu'un qu'on n'aime pas. L'adversité grandit le monde, croit-elle.

Dans sa causerie de Baltimore, elle expliqua qu'en regardant, à un moment donné, toutes les difficultés qui se présentent devant soi, cela peut paraître un cauchemar; mais quand, plus tard, on les regarde avec un regard neuf, on se rend compte que ce sont ces mêmes difficultés qui nous ont permis de grandir moralement.

Au sujet des différents paliers de la douleur, Kübler-Ross reconnaît qu'il n'y a pas deux personnes qui les gravissent de la même manière. «Si, dit-elle, vous pouvez surmonter votre colère et votre angoisse et qu'il se trouve au moins une autre personne qui vous accepte tel que vous êtes, sans vous juger ou se sentir visée, vous pouvez alors devenir plus fort et plus libre, malgré les tristesses de la vie.» En aidant les mourants à vivre, Ross a découvert que leurs douleurs et leurs peines ont des équivalents chez les autres vivants: perte d'un fiancé, d'un foyer, d'une situation, ou même de verres de contact. Tous ces désagréments vous font passer par les phases apparentées à celles du mourant.

Tout ceci fait ressortir le fait que Kübler-Ross n'est pas arrivée à la conclusion qu'il y a une vie après la mort d'un seul coup, comme si elle était l'objet d'une révélation. Elle a probablement raison de dire que l'origine de ses convictions remonte aux expériences de son enfance, de sa rencontre avec la misère humaine et, plus tard, de ses dialogues avec les mourants. S'il est vrai, pour ainsi dire, que nous mourons partiellement à chaque défaite, à chaque séparation, à chaque privation, alors la vie est soeur de la mort. Le cheminement du docteur Ross vers la connaissance du soi intérieur en est une bonne illustration.

Sur une période d'environ douze ans, le docteur Ross est passée d'une connaissance de plus en plus approfondie des différentes phases que subissent les mourants pour en arriver finalement à la certitude d'une vie après la mort. Elle constata d'abord que les médecins, formés pour guérir les gens, sont déroutés quand leurs patients meurent l'un après l'autre. C'est un défi à leur propre image de «guérisseurs»; c'est tout naturellement décevant et même humiliant. Ceux qui ne reçoivent aucun appui moral sont souvent portés à la colère. D'autres deviennent blasés devant la mort de leurs patients; d'autres, encore, vont même jusqu'à prétendre que personne ne meurt.

Kübler-Ross croit qu'on devrait enseigner la moitié du temps la «science» médicale aux étudiants en médecine, et l'«art» médical l'autre moitié. Le but de cet enseignement serait de rendre la mort familière aux médecins traitants, pour qu'ils ne se désistent pas devant l'instant ultime.

De l'avis de Ross, la tâche la plus difficile que doit accomplir le médecin, c'est d'apprendre à parler le langage du mourant, langage souvent tinté de facteurs religieux et culturels. Toute personne à l'article de la mort passe par plusieurs phases telles la négation de l'inévitabilité de la mort, le «marchandage» avec le destin ou avec Dieu, la dépression causée par l'apparente injustice de l'état dans lequel elle est, et finalement, l'acceptation de la mort.

S'appuyant sur sa croyance en la réalité d'une vie après la mort, Kübler-Ross émit le concept énoncé par le titre de son anthologie *Death: The Final Stage of Growth* (Englewood, N.J., 1975). L'incursion que Ross entreprit dans les études de prédécesseurs qui ont fouillé la grande question de l'immortalité de l'être humain lui a appris que ses propres expériences avec les mourants confirmaient les conclusions d'autres psychologues. A James Crenshaw, qui l'interviewait pour le magazine *Fate* d'avril 1977, elle raconta qu'elle avait relevé, chez les mourants, de nombreux dénominateurs communs identiques à d'autres tirés de la correspondance qu'elle recevait de partout dans le monde. Parmi ces dénominateurs, elle retrouvait souvent ce sentiment de paix et d'équanimité chez les patients qui ne souffraient pas. De plus, les patients se rendent compte de leur situation, même en phase terminale. Au sujet des expériences de décorporation, Ross est catégorique: «Les gens sont tout à fait conscients du fait qu'ils quittent leur corps physique. Sur la scène d'un accident, ils peuvent voir leur corps gisant là. A l'hôpital, ils peuvent se mettre à flotter au-dessus de la table d'opération, observer ce qui s'y passe et suivre la conversation.»

D'accord avec le docteur Moody, Ross déclare que ceux qui ont «réintégré» leur corps n'ont plus peur de mourir. Dans de nombreux cas, des «entités de l'autre côté» les incitèrent à reprendre leur corps terrestre et à poursuivre leur existence. Là encore, elle se range de l'avis de Moody pour rejeter l'hypothèse d'hallucinations: «Il ne s'agit pas là de psychopathes, de drogués, de fiévreux en crise d'hallucinations. Au contraire, ils sont dotés d'un haut degré de perception et pourront, s'ils revivent, décrire avec beaucoup de détails les tentatives de réanimation opérées sur eux.» Un cas raconté par Ross à Crenshaw vaut une attention particulière.

«Une fillette ne voulait pas dire à sa mère combien avait été belle son expérience de décorporation, sous prétexte que les mères n'aiment pas apprendre que leur enfant préfère un autre lieu que le foyer familial. Finalement, elle raconta à son père comment elle avait rencontré son frère et comment tout s'était déroulé d'une façon fantastique. «Mais le plus extraordinaire de l'affaire, dit-elle, à la fin de son récit, c'est que je n'ai jamais eu de frère.» Son père se mit à pleurer et lui révéla qu'en réalité elle avait eu un frère, décédé trois mois avant qu'elle naisse.»

Dans une autre interview qu'elle accorda cette fois à Kenneth L. Woodward, pour le magazine *McCall* d'août 1976, Kübler-Ross raconte l'histoire de cette femme atteinte de la maladie de Hodgkin, avec qui elle s'était entretenue. «Cette femme faillit mourir plusieurs fois. Un jour, dans la salle des soins intensifs, une infirmière, voyant qu'elle était en train de mourir, sortit brusquement de la chambre dans le but d'appeler à l'aide. Pendant ce temps, cette femme se sentit flotter au-dessus de son corps. Elle se voyait dans toute sa pâleur, sensation toutefois agréable. Elle se sentait paisible et détendue. Fait remarquable, elle pouvait voir les médecins travailler sur elle. Elle entendait ce qu'ils disaient, ceux qui voulaient poursuivre les traitements de réanimation et les autres qui voulaient abandonner. Sa perception des détails était telle qu'elle put, plus tard, répéter une boutade susceptible de dérider l'équipe, à savoir qu'il ne fallait pas s'alarmer, que tout allait bien aller, même si son corps ne montrait aucun signe de vie, ni respiration, ni tension sanguine, ni activité cérébrale. Finalement, les médecins la déclarèrent morte. Trois heures plus tard, elle réintégra son cadavre et elle prit du mieux. Elle survécut dix-huit mois à cette expérience, sans qu'on puisse déceler de dommage au cerveau.»

Dans la même interview, le docteur Ross raconte également le cas d'un jeune homme dans la vingtaine, projeté hors de sa voiture lors d'un accident. La police le trouva étendu sur le pavé. Il ne donnait aucun signe de vie et il avait la jambe droite coupée. En route vers l'hôpital, on conclut qu'il était mort. L'homme, toutefois, recouvra la vie. Ross s'entretint avec lui et apprit que, sur la scène de l'accident, il avait flotté au-dessus de son corps, suivant des yeux les mouvements des secouristes qui s'employaient à sortir les autres cadavres de la voiture démolie. Il put même se rendre compte qu'il avait perdu une jambe. Ross ajoute: «Vous croyez qu'il se sentait misérable? Pas du tout. Il se sentait paisible, calme. Il avait l'impression que tout son corps était intact, qu'il n'avait pas la jambe coupée.»

Il fallait s'y attendre: l'usage que fait Kübler-Ross de ces expériences de décorporation, pour appuyer sa croyance en une vie après la mort, devait susciter le scepticisme. Certains de ses collègues croient que sa fréquentation prolongée des mourants l'a amenée de force à s'identifier émotivement à eux. D'où son adhésion au concept d'une vie après la mort. C'est vrai que ses premiers contacts avec la mort remontent au début de ses études prémédicales. A l'âge de dix-neuf ans, elle parcourut l'Europe d'après-guerre; elle vit les conséquences des camps de concentration nazis. A Zurich, elle s'intéressa aux mourants avec une telle sympathie que ceux-ci semblaient lui parler comme à un être cher qui serait mort avant eux. Bien qu'elle ne fût pas une personne très religieuse, Ross avoua à Woodward qu'elle avait longtemps soupçonné la mort corporelle de ne pas être la fin de la vie.

Kübler-Ross fit part à Crenshaw d'une expérience personnelle qui peut fort bien avoir influencé l'orientation de sa carrière. Un jour, un médium apprit à Ross la mort de sa mère. Ross n'en savait rien mais le jour même, un message de Suisse le lui apprit. Comme la mère de Ross avait été hospitalisée pendant quatre ans, à la suite d'une crise cardiaque qui l'avait paralysée, ce cas prend la forme d'une «curiosité» en termes de recherche psychique. Le médium avait-il, par télépathie, appris de Ross la maladie grave de sa mère et son inquiétude, ne laissant à son talent médiumnique que le choix du bon moment? Qui est ce médium? Comment expliquer qu'un psychiatre moderne aille voir un médium, sinon qu'il est préoccupé par la menace qui plane sur sa mère?

Mais ce n'est pas tout. Après avoir appris du médium la mort de sa mère, Ross s'est demandé ce qu'elle pouvait faire. A cette question secrète, un message jaillit de la bouche du médium: «Oui, tu ne m'as jamais demandé si j'avais mal à la tête. J'aurais tant aimé qu'on me donne quelque chose pour mon mal de tête. Je ne te dis pas cela pour te blâmer. Je te le dis pour que tu deviennes un meilleur médecin.»

Répétons-le: il est possible que cette communication ait été le fruit d'une pénétration télépathique du subconscient de Ross: le fait que la mère ne voulait pas culpabiliser sa fille peut voiloir dire que cette dernière se sentait déjà coupable. Depuis quatre ans, la mère ne pouvait plus parler; les premiers temps de sa paralysie, elle clignait des yeux en signe d'acquiescement.

Les séminaires que Ross organisa au bénéfice des médecins, infirmières ou autres, sont probablement responsables de sa nouvelle attitude face au problème de la vie après la mort. A n'en point douter, l'espoir d'une autre vie est de nature à encourager le patient à l'article de la mort. Notre monde moderne a désacralisé la vertu d'espérance au point que nous n'avons plus rien pour la remplacer, sauf la peur, le désenchantement ou une résignation passive à l'inévitable. Trop de gens, dit Ross, restent anxieux jusqu'au moment même de la mort.

Doit-il en être ainsi? Ross confie à Woodward: «Ces rapports sur la «presque-mort» ne nous renseignent que sur le premier stade de la vie après la mort. Je crois qu'il y a d'autres stades...»

En toute candeur, Ross met parfois en péril sa réputation de générosité. C'est là le côté «agneau» de son image qui transforme souvent de simples auditeurs en alliés. Plusieurs ont froncé les sourcils, lors d'un séminaire à San Diego, quand le docteur Ross avoua que le soir précédent elle avait interrogé trois créatures du monde des esprits, afin de savoir sur quel sujet elle devait parler. Les esprits lui avaient dit: «Parle-leur de nous.» Comme l'écrivit Eleanor Link Hoover dans *Human Behaviour* de mars 1977, «même des saints ont été brûlés vifs pour moins que cela». En dépit de cette confession, Ross découvrit encore une fois devant elle un auditoire conquis, électrifié, et pas vraiment surpris.

Sans l'ombre d'un doute, la courageuse Elisabeth Kübler-Ross a reformulé la question «Vivons-nous après la mort?» en termes modernes et provocants. Ainsi, en agissant de l'intérieur de la profession médicale, dans le but d'amener les médecins à considérer le coeur du problème — c'est-à-dire celui de la mort et la façon de s'y préparer — elle a agi d'une manière qu'on ne peut ignorer. La lutte pour la conquête d'une meilleure connaissance de ce très important sujet doit se poursuivre avec une vigueur grandissante.

5

Une agnostique devenue croyante

En 1955, Mademoiselle Susy Smith travaillait comme journaliste à Salt Lake City. Elle l'avoue elle-même: «A cette époque-là, je n'étais qu'une cynique incroyante.» Plusieurs années plus tard, elle mettait sur pied la *Survival Research Foundation,* à Tucson en Arizona. La fondation qu'elle préside fait des expériences, amasse des preuves scientifiques de la survie de l'esprit humain après la mort et tente de vulgariser les résultats de ses travaux dans le but de gagner l'appui et la considération de la population. En d'autres mots, Susy Smith tint le rôle de catalyseur de l'intérêt public sur ce sujet. Sans aucun doute, ses quelque trente volumes y contribuèrent.

Pour elle, l'être vivant survit à la mort corporelle. Comment en est-elle arrivée à cette conclusion? Son cheminement diffère totalement de celui de Moody ou de Kübler-Ross. Mademoiselle Smith n'avait pas de formation médicale ou scientifique. Elle s'identifie donc davantage à l'Américain moyen qui, d'observations en réflexions, en arrive à des conclusions très personnelles.

Pendant plusieurs décennies, j'ai suivi l'évolution de Susy Smith en sa qualité de collègue et écrivain, mais je ne lui ai jamais réellement demandé ce qui avait fait d'elle, l'agnostique d'hier, la croyante d'aujourd'hui. En dépit de mes nombreuses rencontres avec Susy Smith, principalement au conseil d'administration de la fondation dont je fais partie, je ne m'étais jamais rendu compte à quel point cette femme incarnait, de plusieurs façons, l'homme et la femme d'aujourd'hui, coincés entre le matérialisme de notre société et la tradition religieuse qui nous incite à croire à l'immortalité de l'âme.

Dans le but d'en savoir davantage sur l'évolution intérieure de Susy Smith, je lui présentai une série de questions l'enjoignant de me dire la vérité, toute la vérité et rien que la vérité. Sa qualité de présidente de la fondation la place en position de connaître les différents courants de pensée sur le sujet qui nous préoccupe. A part la *Psychical Research Foundation,* à Durham, la *Survival Research Foundation* (SRF) est la seule organisation dont le but premier est d'étudier et de diffuser des données sur la vie après la mort. Comme entrée en matière, j'ai demandé à Mademoiselle Smith si, de nos jours, les gens sont plus ouverts qu'autrefois à l'étude de cette question ou bien si l'après-vie reste toujours pour eux un sujet d'embarras. Autrement dit, je lui ai demandé: «Comment les gens réagissent-ils de nos jours à cette question?»

«Je crois, répondit-elle, que les gens sont beaucoup plus réceptifs à l'idée d'une vie après la mort qu'ils ne l'étaient dans le passé. Quand, en 1955, j'ai commencé à m'intéresser au domaine psychique, je pouvais difficilement trouver quelqu'un qui consente à en parler avec moi, surtout s'il s'agissait d'étrangers. Mes amis me traitaient d'excentrique. Aujourd'hui, ces mêmes amis me tiennent pour le chef de file d'un nouveau domaine fort légitime de recherche.

«La télévision et les media en général ont largement contribué à faire qu'on considère les perceptions extrasensorielles comme une réalité. C'est maintenant permis d'en discuter ouvertement. La contribution des média est positive, quoique, souvent, la matière prétendue psychique traitée par les média, est largement teintée d'imagination et parfois totalement fausse. Je crois réellement que Kübler-Ross et Moody ont fait plus pour ouvrir l'esprit des gens à la réalité de l'après-vie que tout ce qui est venu de la parapsychologie ou des philosophies occultes. Par l'autorité de leur savoir, ces deux docteurs se sont imposés à des personnes qui n'auraient même pas consenti à discuter du sujet auparavant.

«La façon dont les gens se comportent devant le problème de la vie après la mort dépend de leur conditionnement philosophique antérieur. Les chrétiens convaincus sont certains que tout ce qui touche à l'«occulte», ce qui inclut tout le domaine de la parapsychologie, vient du «démon» et doit être évité à tout prix. C'est pourquoi il est si difficile de lever le voile chez eux. Les chrétiens ordinaires sont moins susceptibles de se rebiffer devant les manifestations psychiques, mais il ne voient pas de raisons particulières de faire la preuve d'une vie après la mort. Pour eux, la résurrection de Jésus-Christ l'a prouvée sans doute possible. De nos jours, de plus en plus de gens se tournent vers les religions orientales, afin de s'en composer une. Leur conception d'une vie après la mort veut surtout dire un retour sur terre sous différentes formes.

«De plus, vous avez l'athée ou l'agnostique convaincu qui refuse de considérer toute pensée de vie après la mort, jusqu'au jour où, accablé de misère, il doit faire appel à un quelconque dieu pour l'aider. Quand cela se produit, les sceptiques à toute épreuve deviennent des chercheurs sans pareil du domaine psychique. La preuve: je suis un de ceux-là!»

Ensuite, j'ai voulu que Mademoiselle Smith donne son opinion sur l'un des problèmes centraux des études de l'après-vie. On a beaucoup écrit sur la difficulté d'établir scientifiquement si un médium relate l'information qu'il obtient d'une entité désincarnée ou s'il manifeste simplement son talent de télépathie. Dans ce livre, nous avons examiné déjà les opinions des docteurs Rhine et Osis. Maintenant, je demande à Susy Smith: «Pouvons-nous réellement le prouver? Ou bien notre connaissance de l'après-vie n'est-elle que croyance plutôt qu'évidence scientifique?»

«Quand j'étais agnostique, raconte-t-elle, je croyais qu'on devait apporter des preuves scientifiques de la survie de l'être humain. Je croyais que la valeur de toute religion reposait sur la preuve irréfutable d'une autre vie. Pourtant, au cours de toutes mes recherches, je n'ai jamais reçu quelque chose qui pouvait ressembler à une preuve scientifique. J'ai connu plusieurs expériences psychiques d'une nature toute personnelle, tout à fait convaincantes (certaines d'entre elles étaient très belles, d'autres effrayantes), mais je n'ai rencontré aucun incident isolé qui ait pu prouver sans l'ombre d'un doute la survie de l'âme humaine à quelqu'un qui n'était pas disposé à y croire.

«Cette constatation s'applique à tout le matériel publié. Même la collection de sympathiques fantômes qui apportèrent quelques parcelles d'évidence, les inévitables intrus qui déclinent leurs titres, aux séances, les expériences extra-corporelles qui mènent au Ciel, et ainsi de suite, tel que mon livre *Life is Forever* en fait foi, n'offrent pas le type d'expériences vérifiables qu'exige la science. D'accord, la science est exigeante, mais il n'en est pas moins vrai qu'à ce jour, la question de la vie après la mort n'a pas encore reçu de réponse scientifique irréfutable.

«Pour moi, la preuve scientifique est moins importante. Je suis convaincue, sans cette preuve, et plusieurs lecteurs de mes livres ont accepté mes conclusions. Ça me suffit. Je doute fort que pour une longue période de temps à venir, les sceptiques n'y trouveront pas leur compte. J'en ai conclu que chaque personne doit en arriver par elle-même à ses propres conclusions, au moyen de ses propres efforts. Cela ne veut pas dire que je suggère à chacun de tenter d'établir une communication avec les esprits de l'au-delà. La lecture des expériences d'autrui peut être aussi convaincante ou encourageante, et certainement moins dangereuse. Dans ma propre démarche vers la vérité, j'ai connu tellement d'expériences troublantes que je persiste à décourager les autres d'en faire autant.

Depuis la parution de mon livre *Confessions of a Psychic,* dans lequel je relate certaines des expériences aussi déplaisantes que dangereuses que j'ai eues avec de «mauvais esprits», j'ai reçu des centaines de lettres de lecteurs qui s'étaient mis en difficulté en tentant de répéter ce que j'avais fait. Ils me remercièrent de les avoir prévenus. J'incline à croire que cet avertissement constitue peut-être la partie la plus utile de tout mon travail. Si j'ai pu préserver quelqu'un de la folie, je suis largement récompensée de mes peines.

«Je sais que c'est là quelque chose comme le classique *Ne fais pas ce que je fais, fais ce que je dis!* Il ne devrait pas être nécessaire de passer par où je suis passée pour que chacun établisse sa preuve de l'au-delà, à sa satisfaction. Si une expérience en dehors de l'ordinaire se produit en votre présence, tirez-en votre profit! Mais n'essayez pas de la provoquer. Par bonheur, la plupart des gens préfèrent lire les expériences des autres plutôt que de souhaiter qu'elles leur arrivent.»

Etant moi-même opposé à l'amateurisme psychique, et je trouve l'écriture automatique particulièrement aléatoire, je m'interrogeai sur l'évolution personnelle de Mademoiselle Smith. Particulièrement sur l'origine de son premier livre, *The Book of James* (New York, 1973). Je lui ai demandé si elle croyait vraiment avoir été inspirée par l'esprit désincarné du grand philosophe-psychologue William James (1842-1910), que tous tiennent pour un pionnier de la recherche psychique aux Etats-Unis et en Angleterre. Au fond, je voulais savoir si le témoignage attribué à James n'était pas le sien sans qu'elle s'en soit rendue compte.

«Pendant toute ma vie, j'ai lutté avec des concepts, a-t-elle expliqué. Au collège, j'étais parmi celles qui se rangeaient du côté de l'agnosticisme. Ne croyant pas en Dieu ni en une autre vie au-delà de la mort, je me sentais inconfortable, souvent même misérable. Je ne pouvais non plus croire en un dieu capable de laisser tant de gens dans la souffrance, comme c'est le cas sur la terre, et de les rejeter tout simplement après leur mort. Mais je ne pouvais pas davantage accepter les prémisses d'une après-vie telles que proposées par les religions qui me sont familières.

«C'est l'écriture automatique qui m'a fourni une philosophie de l'après-vie suffisamment convaincante pour que je l'accepte. Pendant plusieurs années, j'ai tenté de communiquer avec les esprits, d'abord au moyen de la table Ouija, ensuite au moyen d'un crayon, et finalement par le truchement d'une machine à écrire. Ma défunte mère fut ma première et ma principale interlocutrice. Un jour, ma mère me confia à un écrivain nommé James, qui se révéla à moi comme étant William James.

«J'avais lu très peu d'oeuvres de William James. Quand j'ai soupçonné qu'il pourrait bien être mon interlocuteur, je me suis empressée de parcourir ses *Varieties of Religious Experience* et son *Empiricism*. Engagée dans cette lecture, j'ai vite compris qu'il était préférable de ne pas devenir trop versée dans la littérature de James, afin de ne pas être indûment influencée lorsqu'il me parlerait par le truchement de ma machine à écrire. J'ai alors mis de côté les livres. Mon attitude a été la même envers Emmanuel Swedenborg (1688-1772). Pourtant, les ministres de Swedenborg affirment que tout ce que James a dicté à la machine à écrire est sensiblement semblable à la philosophie de Swedenborg. Pour cette raison, j'ai également mis ses livres de côté.

«Bref, ces voix m'ont dit que la conscience ou l'âme de tout être humain est dans un état constant d'évolution vers une plus grande croissance, une plus grande connaissance, une plus grande spiritualité jusqu'après la mort. Ceci m'a paru logique. M'appuyant sur un plan rationnel de l'existence, je pouvais accepter Dieu. J'étais donc prête à embrasser la chrétienneté que j'avais auparavant repoussée.

«Le rationaliste ne veut pas bâtir ses espérances sur une base qui peut finalement s'avérer un rêve, sous prétexte qu'il ne veut pas se rendre ridicule si, au moment de sa mort, il n'y a rien. Ceci est particulièrement stupide: s'il n'y a rien après la mort, comment le saurait-il? Alors pourquoi ne pas entretenir des espérances plus invitantes et jouir de l'heureuse surprise si, dans l'au-delà, la réalité les confirme? Dans mes années d'agnosticisme, je n'aurais jamais accepté un tel raisonnement. D'ailleurs, nombreux sont ceux qui réagissent comme je le faisais jadis, surtout dans les milieux universitaires.

«Je me suis toujours félicitée d'être allée au Laboratoire de Parapsychologie de l'Université Duke, le jour où j'ai pris intérêt au domaine psychique. Là, sans porter attention à la manipulation mathématique de leurs projets de recherche, je me suis employée à lire dans la bibliothèque. Mon entourage me recommandait de ne lire que des livres *critiques* et *objectifs*. Ces lectures me permirent de mesurer l'étendue des travaux dans ce domaine. J'ai appris à analyser ce que je lisais et ce que j'expérimentais, prévenant ainsi mon adhésion trop rapide aux théories et aux philosophies que je rencontrais. Ce qui explique que pendant mes deux décennies de recherche et d'écriture, j'ai toujours fait de mon mieux pour être critique et objective.

J'ai toujours scruté ce que les soi-disant esprits me suggéraient d'écrire et je n'ai jamais rien tenu pour supranormal que je n'avais pas soumis à la critique. Cependant, quand une telle masse de matière touchant le monde des esprits était, me disait-on, swedenborgienne, a- lors que je n'avais pas lu Swedenborg, ce phénomène m'a semblé mériter une certaine dose de foi. Je me suis déclarée convaincue, à partir du moment où l'ensemble m'a paru rationnel.»

Après cette explication, je demandai à Susy Smith comment elle avait décidé de fonder la *Survival Research Foundation* et le rôle de cette institution jusqu'à nos jours.

«A cause de mon agnosticisme, j'ai fondé la *Survival Research Foundation*. Peu de temps après avoir constaté mon intérêt pour les phénomènes psychiques, en 1955, je me suis dit qu'il serait utile de mettre sur pied un organisme dont le but serait de faire de la recherche sur la survie de l'âme humaine. A cette époque, la parapsychologie se limitait à l'étude des manifestations extra- sensorielles. Quand je me suis établie à Tucson, en 1971, je mis la machine en marche, ce qui permit à la *Survival Research Foundation* de voir le jour le 31 décembre 1973, en tant qu'institution éducative et religieuse sans but lucratif. Nous avons entrepris de nombreux projets et nous publions un bulletin tous les deux mois. Il va sans dire que nous avons également connu des difficultés. L'une d'elles met en évidence le problème qui se présente dès qu'on veut «prouver» la survie d'une manière hermétique. Nous avions mis au point un «code de survie» susceptible de fournir le type de preuve particulièrement souhaité par bien des gens. Mais laissez-moi d'abord vous dépeindre la toile de fond.

«En Angleterre, le docteur Robert Thouless, para- psychologue et professeur à Cambridge, avait mis au point un code qui permettait à une personne d'écrire un message et de le garder dans un endroit sûr. Après la mort de cette personne, le message pouvait être déchiffré au moyen d'un mot clé que faisait connaître le défunt à un médium. Si le mot clé était reçu et le code déchiffré, cela devait établir la survie de la mémoire du défunt. Malheureusement, le code Thouless, basé sur des opérations mathématiques, était si difficile que le déchiffrage en était aléatoire.

«Il y avait, parmi les membres du conseil de la SRF, une personne, Clarissa Mulders, particulièrement douée pour les énigmes, les puzzles et les codes. Avec l'aide de l'avocat Frank Tribbe, vice-président de la SRF, Clarissa reprit le code Thouless et le mit à notre portée. Le code de la SRF fut présenté aux membres, mais peu de messages codés furent reçus. L'un de ces messages était celui de Clarissa Mulders. Elle mourut la même année.

«Je ne m'attendais pas à ce qu'il fût facile à Clarissa, dans l'hypothèse de sa survie à la mort terrestre, de faire parvenir son mot clé à une personne vivante. Mais je la connaissais assez bien pour affirmer que, dans cette éventualité, elle tenterait l'impossible. Elle tenait tellement à apporter son concours à l'établissement de la preuve d'une après-vie. Après sa mort, la SRF, par son bulletin, invita tous ses membres à essayer d'obtenir, par des moyens psychiques, le mot clé de Clarissa. Tous les médiums du pays dont j'avais l'adresse reçurent ce message. De même des publications traitant de sujets psychiques. Nous avions déterminé l'échéance à six mois; nous ne reçûmes que huit réponses. Mais personne ne réussit l'exploit. Nous avons conservé le message dans nos dossiers. Si jamais quelqu'un, même présentement, reçoit ce qui semble être le mot clé de Clarissa — une citation populaire, un poème, le titre d'une chanson — il serait bien aimable de me le faire parvenir, aux soins de l'auteur du livre. Ce n'est pas que le silence de Clarissa m'a étonnée. Après tout, il lui est peut-être tout à fait impossible de communiquer avec quelqu'un sur terre. Ce qui m'a déçue, c'est le peu d'intérêt qu'a suscité un pareil défi. Aujourd'hui, l'activité principale de la *Survival Research Foundation* tourne autour du travail du directeur scientifique, David N. Peck, de Vienna, Virginie, qui tente d'enregistrer des voix d'esprits sur ruban magnétique. Il publie, lui aussi, un bulletin à l'intention de ceux qui sont engagés dans un travail semblable.»

Et d'autres questions suivirent. «Pourquoi, lui demandai-je, vous qui croyez en une vie après la mort, êtes-vous si sceptique devant le sujet de la réincarnation? Votre «communicateur» ou vos «communicateurs» y sont opposés, je crois? Les soupçonnez-vous d'en connaître plus que vous ou est-ce plutôt votre intelligence qui refuse la réincarnation? Pourquoi? Quel mal cela fait-il? Cette croyance semble avoir aidé des gens.» A ces questions, elle répond:

«Quand j'ai commencé à lire et à chercher, je n'avais aucune idée préconçue sur le sujet de la réincarnation. Mais dès le début, mes «interlocuteurs» me dirent que la re-naissance sur terre est une conception erronée. Ils m'expliquèrent que tout progrès après la mort s'accomplit sur le plan de l'esprit, que nous continuons d'être nous-mêmes, tels que nous le sommes maintenant. Ils m'ont dit que dans l'au-delà, les choses se passent de façon telle que, en route vers la perfection, nous apprendrons tout ce que nous n'avons pu apprendre sur terre. Ils sont catégoriques: le corps humain n'est important que sur terre; il ne sert qu'à établir notre identité en tant que personne. Pour mes «communicateurs», vouloir revivre dans divers corps après la mort veut dire une trop grande préoccupation physique au détriment d'une préoccupation spirituelle.

Malheureusement, trop de gens parmi ceux que je rencontre dans le monde de la recherche psychique, connaissant mon rejet de la réincarnation, tentent aussitôt de me convertir. Au début, je discutais avec eux, mais avec le temps, j'ai changé d'attitude. Je leur dis tout simplement: «Quand nous mourrons, nous apprendrons la vérité . Ne nous inquiétons pas entre-temps. Essayons d'en connaître le plus possible et préparons-nous à des expériences agréables, quelles qu'elles soient.»

Finalement, j'ai posé une double question à Mademoiselle Smith. «Premièrement, comment expliquez-vous, malgré la masse d'évidences à l'appui d'une vie après la vie, que tant de gens refusent d'y croire ou refusent d'admettre qu'ils y croient?» Ou encore: «Ne devrions-nous pas accepter tout simplement la vie comme elle se présente à nous, plutôt que de tenter, d'une façon présomptueuse, de lever le voile qui nous sépare de notre prochaine existence?»

Pour Susy Smith, «le seul motif pour ne pas croire en une autre vie après la mort est la crainte de paraître naïf, ou bien la peur d'être déçu. Je ne vois pas de présomption à essayer de lever le voile qui nous sépare de l'au-delà. Je vais vous citer un vieux cliché, mais il est toujours d'actualité: si tout à coup on venait vous informer que vous devez passer le reste de vos jours à Bornéo, n'aimeriez-vous pas vous renseigner sur ce pays avant d'y aller? N'aimeriez-vous pas acheter des vêtements appropriés au climat? Ne serait-il pas sage de vous procurer des objets que vous jugeriez essentiels, au cas où vous ne pourriez pas vous les procurer là-bas? Vous ne feriez certainement pas preuve de prudence si vous partiez les mains vides, sans connaissance des conditions de vie ou de la manière de se comporter en arrivant dans ce pays inconnu. Pour moi, c'est la même chose si l'au-delà est le terme du voyage. Plus nous serons renseignés sur ce pays lointain qu'est l'après-mort, mieux nous saurons comment vivre ici bas.

«D'après mes «communicateurs», tout ce qu'on peut apprendre ici et maintenant, nous n'aurons pas à l'apprendre plus tard. Tous les désagréments que nous ressentons sur cette terre deviennent donc des occasions d'apprendre. L'important n'est pas ce qui nous arrive; c'est la connaissance que nous en tirons qui compte. Plus nous serons avancés sur le chemin de la connaissance spirituelle, quand la mort viendra, plus nous serons avancés dans l'autre monde, après la mort. Pour moi, c'est une pensée très enrichissante de savoir l'être humain capable de progrès spirituel pour toujours. Pour cette raison, je ne crains plus la mort. Je remercie Dieu d'avoir permis que mes recherches me rapprochent de Lui.»

6

«Il nous faut plus d'esprit courageux...»

Si vous ne pouvez vous décider de croire ou de ne pas croire en une vie après la mort, ne vous alarmez pas; vous n'avez pas à vous sentir coupable. Nombreux sont ceux qui seraient satisfaits de ne vivre que la vie présente. Pour eux, l'idée même que la vie peut se prolonger indéfiniment, les inquiète. Une fois suffit! disent-ils. De toute façon, nous ne savons pas de quoi sera faite cette vie d'outre-tombe: elle peut être tellement différente de la vie présente, qu'on ne peut parler de répétition ou d'amélioration.

Si vous entretenez de tels doutes, vous n'êtes pas seuls. On y rencontre non seulement des millions de personnes dont l'incertitude repose sur leur ignorance du sujet, mais une multitude d'hommes et de femmes parmi les plus intelligents et les mieux informés se retrouvent dans cette position. Le Dr Gardner Murphy est l'un d'eux. Considéré comme l'un des psychologues les plus distingués du pays, il commença sa carrière dans un enthousiasme prometteur face à l'étude de l'après-vie. Il fréquenta les médiums et les esprits, mais se sentant coincé entre la croyance et l'incroyance en une vie après la mort, il devint torturé par l'incertitude, au point d'en tomber malade.

Murphy, dont la vie couvre deux générations de chercheurs américains, était peut-être sa propre inquiétude dans sa recension des oeuvres de l'éminent pionnier de la psychologie, William James (1842-1910). Pour Murphy, la position permanente qu'occupe James dans la recherche psychologique, ne découle pas seulement de la valeur de sa recherche ou de ses opinions, mais aussi de son courage et de son énergie. Dans son livre, *William James on Psychical Research* (compilé en collaboration avec Robert O. Ballou, New York, 1960), il louangea le psychologue bostonnais pour l'insistance apportée à faire reconnaître au moins la réalité de la télépathie et, par voie de conséquence, à faire respecter, étudier et honorer les instruments de ce domaine de recherche, c'est-à-dire les médiums. Bref, Murphy admirait l'ouverture d'esprit de James.

Gardner Murphy a continuellement poursuivi la tradition entreprise par James de tenir la recherche psychique et parapsychologique pour essentielle à la connaissance de l'homme pris dans son entier. Sa réputation de psychologue averti lui permit de favoriser l'entente mutuelle et la collaboration entre les psychologues et les parapsychologues. Par la qualité des recherches, il a même fait la preuve qu'un bon parapsychologue peut également être un bon psychologue. Quand on écrira l'histoire de la parapsychologie américaine, il faudra élever Murphy au rang du Dr Rhine, de l'université Duke, c'est-à-dire au rang des savants les plus influents.

Comme pour William James, l'intérêt de Murphy pour les phénomènes psychiques prit naissance dans le milieu familial. Murphy naquit à Chillicothe, Ohio, le 8 juillet 1895. A l'âge de seize ans, alors qu'il bouquinait dans la bibliothèque de son grand-père, George A. King, ses yeux tombèrent sur l'ouvrage de Sir William Barret, *Psychical Research* (1911), qui résume les études faites par la *London Society for Psychical Research* (SPR). Les récits de contacts établis entre les médiums et les morts éveillèrent la curiosité du jeune homme. En 1957, Murphy confesse, dans le *Journal of Parapsychology,* que «la flamme ne s'est jamais éteinte depuis ce jour».

Ses parents avaient été eux-mêmes vivement intéressés à la question de la vie après la mort. Son père, un pasteur de l'Eglise épiscopalienne, se proposait d'écrire un livre sur le sujet quand la maladie vint mettre un terme à ce projet. Malgré sa santé chancelante et ses nombreux engagements, son fils releva le défi.

Murphy trouva l'atmosphère intellectuelle du département de psychologie de l'université Yale «totalement défavorable» à son penchant pour les études psychiques. Il emprunta la psychologie pour déboucher sur la recherche psychique, qui lui permettrait d'établir que l'esprit ou la personnalité est indépendante du cerveau, condition essentielle à la survie de l'âme après la mort. Mais l'attitude hautaine de ses professeurs envers ce sujet, le rendait agressif. Il demanda au professeur R.P. Angier s'il lui faudrait plus qu'un doctorat en psychologie — un doctorat en médecine peut-être — pour faire carrière dans la recherche psychique. Angier l'assura qu'un doctorat en psychologie suffirait.

Pour Murphy, sa première année d'études supérieures à Havard, fut décisive. Après de nombreuses lectures, il entreprit, en laboratoire, une petite expérience en télépathie. Au même moment, la philosophie et l'anthropologie fournirent au jeune homme des notions matérialistes qui s'opposaient aux convictions évangéliques de sa jeunesse. Assiégé de maux de tête et d'insomnie, il remit tout en question avec la plus grande sincérité. Finalement, au désespoir, une nuit de mars 1917, il rejeta la foi de son enfance. Il garda toutefois l'espoir que la recherche psychique le ramènerait à ses anciennes croyances religieuses.

Inscrit à l'université Columbia, en 1919, Murphy mit au point un régime d'étude en recherche psychique, comprenant d'abord deux heures et plus tard trois heures de lecture tous les après-midi. Pour Murphy, ce n'était pas là une discipline de fer mais, au contraire, un plaisir. «J'aimais ce sujet passionnément», disait-il. Toutefois, il fut bientôt pris entre la croyance et le scepticisme dans son évaluation de l'évidence touchant la vie après la mort. En tant que psychologue, il mettait en doute la notion que la pensée, ou la personnalité, puisse exister indépendamment du système nerveux. Cependant, il tint une bonne partie de la matière lue pour preuve valable de la survie de l'être humain.

En 1921, Gardner Murphy séjourna trois semaines à Londres, dans le but de discuter avec des chercheurs britanniques et de lire des rapports non publiés par la SPR. A son retour, toujours suspendu entre la croyance et le scepticisme, il rendit visite deux ou trois fois au psychologue de Harvard, le professeur William Mc-Dougall, dans l'espoir que celui-ci l'aiderait à se trouver une situation à la SPR. A brûle pourpoint, McDougall demanda au jeune homme: «Pourquoi ne venez-vous pas ici?» A Havard, il y avait de l'argent disponible pour la recherche au *Richard Hodgson Fund,* ainsi nommé en mémoire d'un ancien secrétaire de l'*American Society for Psychical Research* (ASPR).

Murphy pesa le pour et le contre, en parla à sa mère et décida de combiner cette offre avec son travail plus orthodoxe à Columbia. D'une certaine manière, il poursuivit cette double activité pendant sa carrière très remplie. De 1922 à 1925, il fit la navette entre Columbia et Havard, enseignant, à New York la psychologie élémentaire et la psychologie des anormaux, tandis qu'à Boston, il organisait des expériences de télépathie et visitait des médiums. Il eut plusieurs rencontres avec le fameux médium bostonnais, Leonore Piper, dont les messages avaient intrigué William James, quarante ans plus tôt.

A l'été de 1923, Murphy se rendit au Deuxième congrès mondial de recherche psychique, à Varsovie. En collaboration avec René Warcollier, de l'Institut Métapsychique de Paris, et l'amiral Anghelos Tanagras, de la Société hellénique de recherche psychique d'Athènes, ce voyage de Murphy donna lieu à des expériences télépathiques transatlantiques. Comme le raconte Murphy, dans ses notes autobiographiques parues dans le *Journal of Parapsychology,* il mena une double vie, gardant un pied dans le champ de la psychologie respectable et l'autre dans les plates-bandes douteuses de la parapsychologie.

En mars 1925, la carrière de Murphy fut interrompue par une attaque d'influenza qui le laissa à demi-invalide pendant neuf ans. Il fut éventuellement secouru par un autre «charlatan», comme lui, le docteur W.H. Hay, qui avait mis au point une formule radicale de désintoxication. Au dire de Murphy, «cette réjouissante occasion souligna encore une fois l'opposition qui existe entre sa conception inorthodoxe de voir les choses et la possession tranquille de la vérité qu'affecte la science dite orthodoxe». De plus, en 1925, sa vue faiblit tellement qu'il dut dicter son ouvrage *Historical Introduction to Modern Psychology,* livre qu'il ne put jamais lire une fois publié. Deux ans plus tard, sa vue lui fut rendue par les soins inorthodoxes — encore une fois — du docteur Frank Marlow, de Syracuse, New York, qui corrigea au moyen de prismes le dérèglement des muscles externes des yeux.

Mais avant cette double guérison par la médecine inorthodoxe, Murphy avait dû, pour préserver ses forces, abandonner ses recherches psychiques pendant presque une décennie. Il n'avait pas d'économies, était gravement menacé par la maladie et ne voyait «aucune marge de sécurité nulle part». Il devait enseigner régulièrement à

Columbia. En 1926, il épousa Lois Barclay qui partagea ses multiples intérêts professionnels. Aux études à Vassar, elle avait parcouru la littérature psychique, à cause de la pertinence personnelle du matériel.

Les deux livres de Murphy parurent en 1929: son *Historical Introduction* et son *Outline of Abnormal Psychology*. En 1931, lui et sa femme écrivirent *Experimental Social Psychology*. Pendant les quatre années suivantes, ils enseignèrent et écrivirent tous deux. Un fils et une fille naquirent de leur union. En 1933, Gardner et Lois Murphy étudièrent les fameux messages «par recoupements»[1] transmis par le truchement de plusieurs médiums, messages présumés reçus de l'esprit du défunt savant F.W.H. Myers, et d'autres. Quand les divers messages reçus par le truchement des différents automatistes furent mis ensemble, le tout forma une mosaïque cohérente. Murphy se rappelle les paroles de sa femme: «Dire que tout ceci existait et que nous n'en savions rien!»

En 1928, quand la maladie empêchait Murphy de voir qui que ce soit, J.B. Rhine visita leur appartement et parla à Lois Murphy pendant environ une heure. Il l'informa de son projet d'accompagner le professeur William McDougall à la toute nouvelle université Duke, à Durham, Caroline du Nord, dans le but d'y fonder un laboratoire de parapsychologie. A Duke, le docteur Rhine, recourant à des méthodes expérimentales de laboratoire, remporta des succès notoires en perceptions extra-sensorielles. Murphy fut très impressionné par les travaux de Rhine; dès que sa santé le lui permit, il rejoignit Rhine à Durham. Les années suivantes furent prolifiques en échanges constants de projets et de personnel entre le laboratoire de Rhine et l'équipe de Murphy. Plusieurs des expériences menées par Murphy, entre 1935 et 1939, produisirent des effets

---

1. *Cross-correspondence* dans le texte.

douteux en télépathie et en clairvoyance, mais toutes furent moins frappantes que les premières expériences menées à Duke. A leur sujet, Murphy écrivit: «La science ne peut pas se bâtir sur des expériences aux résultats douteux; même si elles mettent en appétit, elles apportent néanmoins leurs frustrations.»

En 1941, un groupe de chercheurs en parapsychologie prit la direction de l'ASPR, à l'époque mal divisée, élirent Murphy parmi les administrateurs et le nommèrent président du comité de recherche. En 1942, ce fut le centenaire de la naissance de William James. A cette occasion, Murphy donna un cours d'été en recherche psychique à Harvard. L'une de ses élèves, le Dr Gertrude Schmeidler, se joignit bientôt à lui pour l'assister dans les projets de recherche de l'ASPR. Vinrent ensuite Laura Dale, J.L. Woodruff et Montague Ullman. De 1941 à 1971, Murphy publia quarante-et-une communications dans le *ASPR Journal.* Plusieurs traitaient de télépathie, de précognition, et trois portaient sur la survie après la mort. En 1962, il fut élu président de l'ASPR, poste qu'il garda jusqu'en 1971.

De 1940 à 1952, Gardner Murphy fut directeur du département de psychologie du *City College de New York.* En 1952, Murphy se rendit à Topeka, Kansas, pour occuper le poste de directeur de la recherche à la *Menninger Foundation,* où il coordonna le travail sur le développement de l'enfant, la perception et les types d'apprentissage psychothérapeutique. Pendant cette période, il sentait que sa contribution était limitée, bien que, très souvent, il jouait le rôle de grand-frère auprès de très compétents chercheurs. En 1967, il se joignit au département de psychologie de la *Washington University,* Washington, D.C. Sa santé chancelante l'obligea à réduire ses activités pendant les années suivantes.

D'après le manuel courant de psychologie intitulé *Theories of Personality,* de Calvin S. Hall et Gardner Lindzey: «Peu de psychologues contemporains en connaissent autant dans le domaine de la psychologie scientifique que Murphy qui mérite sa réputation de brillant conférencier et de professeur attachant.» Pour marquer sa reconnaissance envers Gardner, Murphy, l'*American Psychological Association* l'élit à sa présidence en 1944.

Dans leur manuel, Hall et Lindzey consacrent un chapitre à la «théorie biosociale» de Murphy. Selon cette théorie, l'homme est un organisme qui maintient une relation réciproque entre les environnements social et matériel. Cette approche psychologique tient les expériences psychiques pour des interréactions sociales, comme en télépathie, ou pour des événements à l'intérieur de l'environnement, comme en clairvoyance. Pour Murphy, l'homme est un champ organisé à l'intérieur d'un champ plus grand, une région de perpétuelle interaction, une réciprocité d'énergies qui entrent et sortent. Il entrevoit un système de connaissance où seraient liés des facteurs psychophysiologiques, des expériences vérifiables et la découverte de principes sous-jacents qui, ensemble, formeraient un «tout signifiant», ce qui placeraient les phénomènes paranormaux en contact intelligible avec les lois générales de la psychologie.

Dans un autre ouvrage intitulé *The Challenge of Psychical Research* (1961), Murphy présente des cas choisis de perception extra-sensorielle, ainsi que des données expérimentales, des exemples de précognition, de psychokynésie et de survie à la mort. Il est d'avis que de nombreux phénomènes psychiques sont les expressions de principes dynamiques ancrés dans les profondeurs de l'inconscient, ce qui constitue le reflet de la relation d'une personne avec son environnement physique, ou plus souvent avec son environnement socio-personnel. Règle générale, il croit que le paranormal ne semble pas fonctionner quand le normal fait bien son travail.

Dans ce livre, il s'attaque au problème qui, il y a cinquante ans, éveilla son enthousiasme: «En réalité, l'homme survit-il à la mort physique?» «Quelle est ma position sur ce sujet?» écrit-il. A cette question, il répond: «Qu'arrive-t-il quand une force irrésistible frappe un objet immuable? Pour moi, l'évidence ne peut pas être contournée, ni, d'autre part, la conviction indubitablement établie. C'est idiot de me demander si je crois à 55-45 ou à 45-55. Psychologue de carrière, maintenant dans la soixantaine, je ne m'attends pas à me retrouver «en vie» après ma mort physique. Si c'est là la réponse que le lecteur veut, tant mieux pour lui. Mais si, d'autre part, cela veut dire que dans une discussion philosophique, je soutiendrais la thèse anti-survie, la conclusion est erronée. J'hésite, parce que je ne peux traverser la rivière. Il nous faut beaucoup plus d'évidence, de nouvelles perspectives, il nous faut peut-être plus d'esprits courageux.»

Ces mots, écrits il y a presque deux décennies, font partie du credo de Gardner Murphy. Aujourd'hui, l'octogénaire retiré du tohu-bohu de la psychologie et de la recherche sur l'après-vie, ou l'après-mort, ne voit aucune raison valable de tempérer ses exigences.

7

Ce que voient les mourants

Le docteur Karlis Osis, qui devint le directeur de la recherche de l'*American Society for Psychical Research,* eut à l'âge de quinze ans, en Lettonie, une expérience qui devait influencer son avenir. A l'époque, il habitait un hameau à une cinquantaine de kilomètres de Riga, la capitale. Un soir qu'il était au lit, sa famille discutait de sa vieille tante à l'agonie. Il n'entendit ni ne vit rien, sa tante étant couchée dans une chambre à l'autre bout de la maison. Il la savait très malade puisqu'on prévoyait qu'elle mourrait dans quelques jours. Tout à coup, l'enfant se sentit habité par une joie inexplicable. L'euphorie l'envahit. Son esprit s'éleva et son anxiété s'enfuit. On aurait dit que quelque chose d'encourageant venait de se produire. Il ne pouvait rien expliquer: ce sentiment de bonheur n'était pas causé par ce qu'on disait dans la maison. Que s'était-il donc passé? Pourquoi cette joie subite?

On lui apprit que sa vieille tante venait de mourir.

A une telle distance et après tant d'années, voici la seule explication possible: d'une manière ou d'une autre, la tante avait communiqué à son neveu un sentiment d'euphorie dans le but de lui faire connaître ses propres émotions. Personne ne peut dire si la tante, ayant probablement recours à la télépathie, transmit ces sentiments de joie avant, pendant ou après l'instant même de sa mort. On peut concevoir qu'une personne, à l'article de la mort, atteigne un tel degré d'émotion, puisse briser la barrière de nos sens connus et réussisse à communiquer, à une autre personne vivante, un message particulier. Ceci peut se produire dans le bref moment où la vie quitte le corps. Mais ce phénomène peut-il se produire après la mort clinique?

Nous avons déjà touché le concept de la mort clinique. Le cas Osis, et plusieurs autres, laissent la porte ouverte à la possibilité que la télépathie puisse se manifester des morts aux vivants. Pendant ce moment d'euphorie, le jeune Karlis crut sa chambre remplie de lumière. Il ne savait pas que sa tante venait de mourir; il se sentait joyeux.

Osis raconte avec pudeur: «Je me suis beaucoup attardé à expliquer ce qui s'était passé, à identifier la source de cette énergie et comment la canaliser.» Et avec un sourire timide, il ajoute: «C'est plus fantomatique que les fantômes.»

L'odyssée de Karlis Osis, fils de fermier, le conduisit de sa Lettonie natale au sud de l'Allemagne. C'était la fin de la Deuxième Guerre mondiale. Il décrocha un doctorat en psychologie, à l'université de Munich, sur présentation d'une thèse intitulée: «L'hypothèse de la perception extrasensorielle». Installé aux Etats-Unis peu de temps après, il ne put toutefois mettre à profit ses talents et sa formation. Il dut travailler chez un marchand de bois, à Tacoma, Washington. A cet endroit, ses possibilités d'expériences en perception extra-sensorielle furent limitées, en fait si limitées, qu'il dirigea son attention vers la perception extra-sensorielle chez les animaux. Mais même là, la marge était étroite: le seul animal qu'il put trouver fut une vieille poule.

L'obstination du docteur Osis à vouloir faire carrière dans le champ de recherche qu'il avait choisi vint aux oreilles du Dr J.B. Rhine, qui dirigeait à l'époque le laboratoire de parapsychologie à l'université Duke. Rhine, biologiste de sa formation initiale, manifestait depuis fort longtemps de l'intérêt pour la perception extra-sensorielle chez les animaux. Il demanda à un collègue d'aller voir Osis chez le marchand de bois. Le rapport élogieux que fit ce collègue incita Rhine à inviter Osis, sur-le-champ, sans sa poule télépathe, à se joindre à l'équipe de Duke. Là, Osis entreprit de nombreuses expériences sur les aptitudes des animaux à la clairvoyance et à la télépathie. D'autres portèrent sur l'effet de la distance sur les perceptions extra-sensorielles.

Le docteur Osis se joignit à Rhine, en 1952. Là, Osis traça les plans d'une ambitieuse série d'expériences à longue portée sur les contacts médiumniques avec les morts, système complexe appelé «liaison»[1]. Osis lança ces expériences pendant les cinq années de son association avec Rhine, les poursuivit pendant cinq autres années, soit de 1957 à 1962, avec la *Parapsychology Foundation* à New York et, finalement, en publia les résultats dans le *Journal of American Society for Psychical Research,* également à New York.

Pendant les années qu'il passa à la *Parapsychology Foundation,* Osis et moi (j'étais alors secrétaire administratif de la Fondation) travaillâmes en collaboration avec le fameux médium Eileen J. Garrett, fondatrice de la Fondation et présidente à l'époque. C'est pendant cette période qu'Osis mena ses recherches et publia, en 1961, sa monographie devenue classique intitulée *Deathbed Observations of Physicians and Nurses.* Il adressa 10 000 questionnaires aux médecins et aux infirmières, reçut 640 réponses et compléta son travail par téléphone et par correspondance. Osis fut le pionnier des expériences

1. *Linkage experiments* dans le texte.

menées auprès des mourants. Ce genre de recherche fut
repris et les résultats vulgarisés par d'autres, notamment
par le Dr Raymond Moody et le Dr Elisabeth Kübler-
Ross. Ce qui différencie le travail de ces chercheurs est le
fait qu'Osis cherche les éléments statistiquement quan-
tifiables, alors que Moody et Kübler-Ross portent leur
attention sur les éléments colorés et sympathiques qui,
toutefois, résistent à la quantification. Chacune de ces
deux approches à son mérite: les cas d'Osis sont
mathématiquement vérifiables; ceux de Moody et Ross
reposent sur l'expérience humaine.

Au cours des dix dernières années, Osis gardait ordinairement plusieurs fers au feu. Un fil conducteur les
unissait. En plus de ses observations sur les mourants, et
de ses expériences «liaisons» avec les médiums disséminés
aux quatre coins du monde, avec lesquels il travailla pour
recueillir les prétendus messages des esprits, le docteur
Osis utilisa pour ses recherches une partie des fonds laissés
par le célèbre mineur de l'Arizona, James Kidd. Il mit au
point des tests vérifiables d'expériences extra-corporelles
et étudia les phénomènes d'apparitions perçues collectivement, surtout en Inde.

Comme je l'ai dit plus haut, la parapsychologie moderne aborde le problème de «la vie après la mort» de
plusieurs directions. Elle cherche à bâtir une évidence
grandissante, afin d'établir l'existence posthume d'un
élément intégrant de nos corps vivants qu'on pourrait appeler l'âme humaine. Dans certains milieux académiques,
le mot «âme» est rejeté. Peu m'importe: ce mot décrit bien
ce dont nous parlons.

Bien sûr, Osis se rend pleinement compte de l'importance et de l'impact des anamnèses individuelles,
qu'elles soient statistiquement signifiantes ou non. Il
raconta le cas d'un médecin de Boston qui avait ranimé
son patient en lui massant le coeur vigoureusement. Ayant
repris connaissance, le patient dit au médecin: «Pourquoi

m'avez-vous ressuscité? Tout était si beau.» Cet état d'esprit se rencontrait souvent. Au moment le plus critique, pendant les deux ou trois dernières heures de vie, les patients semblaient sereins et heureux. Une autre observation inattendue veut que les mourants instruits soient plus aptes que les autres aux visions, probablement à cause de leur facilité d'expression.

Dans le résumé qui met fin à sa monographie sur les mourants placés sous la surveillance de médecins et d'infirmières, Osis rapporte qu'un patient sur vingt tombe dans un état d'exaltation. Il rencontra 735 cas d'exaltation. Considérant que ces patients étaient à l'article de la mort, on doit se réjouir que la peur ne fût pas chez eux l'émotion dominante.

Dans 884 cas, l'émotion dominante portait sur des images traditionnelles du Nouveau Testament tels le Ciel avec des figures humaines. On y rencontrait souvent les images traditionnelles du Nouveau Testament telles le Ciel et l'Enfer, mais rarement celle de la Cité éternelle qui, selon la Bible, doit suivre le Jour du Jugement. D'après Osis, ces visions comportaient des scènes aux couleurs brillantes, d'une indescriptible beauté.

Le quart de l'étude portait sur les visions ou les hallucinations des gens; elle fait état de 1 370 cas de visions hallucinatoires. En conformité avec les observations des premiers chercheurs en métapsychique, Osis constata que les mourants voient surtout les fantômes de personnes déjà mortes, lesquels, souvent prétendent vouloir aider le mourant dans sa transition de la vie à la mort. C'est exactement ce que Moody et Kübler-Ross ont découvert. Ainsi le veut également le spiritisme qui promet la présence, dans l'au-delà, d'un comité d'accueil formé d'entités désincarnées dont la fonction est de recevoir et de guider ceux qui viennent juste de mourir.

Les moribonds qui voyaient leurs parents et amis s'apprêter à les guider vers l'autre vie étaient catégoriques, tout en étant conscients de l'environnement hospitalier dans lequel ils se trouvaient. Ils ne dormaient ni ne sommeillaient. Ils n'étaient pas, pour la plupart, «partis dans un monde à eux».

Là où le rapport péchait par manque d'anamnèses, il se rattrapait en statistiques. Cet état de choses constituait, en soi, toute une réalisation dans un domaine de recherche jusqu'alors limité aux récits d'incidents individuels hétérogènes. Dans le langage de l'ordinateur, le rapport révélait «des recherches intenses faites dans le but de déceler des modèles pour appuyer l'hypothèse d'une survie posthume». L'étude comprenait les facteurs psychologiques, biologiques et culturels, plus la vision de chaque mourant. Les expériences chez les agonisants passaient outre à l'identité des gens ainsi qu'à leur orientation culturelle. Le rapport présentait ainsi les faits: «Les racines de ce type d'expérience semblent se prolonger au-delà des différences de sexe, des facteurs physiologiques, tel le genre de maladie, ainsi que des niveaux d'éducation et de religion.» Il dit également:

«La plupart de nos «cas» venaient de patients non troublés par les sédatifs, autre médication ou haute température. Peu de patients souffraient de maladies hallucinogènes. La plupart d'entre-eux étaient en pleine possession de leurs facultés. Les conditions qui nuisaient aux perceptions extra-sensorielles semblaient également nuire aux phénomènes étudiés ici.

«Les cas furent séparés en deux groupes: ceux qui soutenaient l'hypothèse de la survie et ceux qui la contredisaient. Les cas ambigus furent mis de côté. Les cas qui favorisaient l'hypothèse de la survie se rencontrèrent surtout chez les patients dont l'esprit n'était pas troublé par les sédatifs, qui n'avaient pas donné de signes de pathologie hallucinogène, et tout à fait conscients de ce qui se passait autour d'eux.»

Après examen des données, Osis découvrit que, dans la majorité des cas, les «personnes représentant les morts» étaient des proches parents du patient, alors que les personnes vivantes n'avaient aucun lien de parenté. Osis comprit qu'il serait utile de comparer ces études avec d'autres résultats connus, de préférence menés dans une culture différente. Après qu'Osis se fut intégré à l'équipe de l'*American Society for Psychical Research* en 1962, il conduisit d'autres expériences du genre, l'une dans l'Est des Etats-Unis, l'autre en Inde. Par le truchement de l'*ASPR Newsletter* (hiver 1975), il nous apprit que 1 004 médecins et infirmières américains avaient complété son questionnaire et 704 en Inde. Les patients à l'agonie qui avaient apparemment eu des visions furent interrogés en profondeur.

Les 887 interviews qui en résultèrent furent alors soumis à l'ordinateur. Le but: comparer les données des deux pays et savoir dans quelle mesure les différents facteurs se confondaient. Tout comme il l'avait fait dans son premier relevé, Osis sépara les deux genres d'impressions: celles qui portaient sur «ce monde-ci» et celles dont les visions laissaient croire en un «autre monde posthume». -

En fait, le docteur Osis et son collègue le docteur Erlundur Haraldsson, de Reyjavik en Islande, rencontrèrent des «cas» où les visions étaient contraires à ce qu'avaient vu les patients; les uns avaient vu des parents qu'ils pensaient morts, mais ils étaient toujours vivants. A ce sujet, voici ce que raconte un médecin.

«Elle m'avoua qu'elle voyait mon grand-père à mes côtés et me dit de me rendre chez moi immédiatement. Je me suis rendu à la maison à 16 heures 30; on me prévint qu'il était mort à 16 heures. Personne ne s'attendait à sa mort. Ce patient avait déjà rencontré mon grand-père.» «Cette apparition, explique Osis, ressemble fort à une intrusion venant de l'autre monde — en contradiction avec la réalité, puisque les deux, la patiente et le docteur, croyaient que le grand-père était encore en vie.»

Osis posa la question suivante: «Pourquoi, dans plusieurs cas cités, y a-t-il apparition?» Il y avait toutes sortes d'apparitions errantes, sans but apparent. Mais dans la majorité des cas, le patient était d'avis que l'«apparition» voulait emmener le mourant ailleurs, vers un autre mode d'existence, en l'appelant, en lui faisant signe, en le sollicitant. Ceci confirmait le premier relevé d'Osis.

Osis ne négligea pas les facteurs médicaux et religieux. Aux Etats-Unis, «l'invitation à passer dans l'au-delà» comptait, lors du premier sondage, pour 76 pour cent des buts fondamentaux des apparitions, et 69 pour cent lors du deuxième. En Inde, cela atteignait 79 pourcent. De plus, plusieurs mourants connurent des états de sérénité au moment même ou leurs parents pleuraient.

Après avoir filtré les pages fournies par l'ordinateur, Osis en arriva à la conclusion provisoire que ces données appuyaient l'hypothèse de la survie après la mort. Autrefois, les idées touchant la survie après la mort venaient de médiums formés aux enseignements des églises spiritistes, ou encore des philosophies occidentales ou orientales. Maintenant, conclut Osis, nous pouvons regarder les mourants dans les yeux et rajuster les buts et les méthodes de nos recherches en fonction de cette nouvelle lumière.

Un événement permit la réalisation de ce travail. On découvrit, en Arizona, un testament; le donateur laissait une somme de $300 000 pour la recherche d'une preuve scientifique de l'existence de l'âme après la mort. Ce testament, écrit de la main même de son auteur, venait d'un chercheur d'or, nommé James Kidd, porté disparu le 29 décembre 1949. Il fut déclaré légalement mort en 1954, mais ce n'est que dix ans plus tard que les vérificateurs de la banque trouvèrent son testament et sa fortune. Un tribunal de Phoenix dut entendre toutes sortes de réclamations d'individus et d'organismes prétendant chacun être mieux placé que les autres pour mettre en oeuvre les exigences du testament de Kidd. Après de longues discussions, l'argent fut attribué à l'ASPR qui en versa une partie à la *Psychical Research Foundation*, à Durham, en Caroline du Nord. Le testament de Kidd donna au docteur Osis la chance de sa vie. Il pouvait enfin poursuivre ses travaux sur la question «Vivons-nous après la mort?» Ce travail prit deux ans et demi. Le 15 mars 1975, la Société publia un «Rapport intérimaire de recherche sur l'hypothèse d'une vie après la mort». On y apprenait que le travail avait porté sur l'hypothèse centrale voulant qu'«une partie de la personnalité humaine soit capable d'opérer, dans de rares occasions, en dehors du corps humain, et qu'elle continue d'exister après la mort du cerveau et le dépérissement de l'organisme». Même un avocat doit admettre que c'est là la façon la plus nette et la plus succincte de décrire la chasse aux preuves circonstantielles d'une vie après la mort.

Dans la première partie du rapport, Osis poursuivit son étude originale sur les mourants et réalisa ses espoirs d'antan d'entreprendre une étude comparée. Ce travail s'appelait: «Etude transculturelle d'expériences chez les mourants». Le but était de découvrir si notre monde vivant pouvait expliquer ce que les agonisants voyaient ou s'il fallait s'en reporter à des explications d'outre-tombe. Le docteur Osis s'attarda à des raisons classiques telles que l'accomplissement des désirs, les images en tant que résidu des expériences du jour, ou la dramatisation plus poussée des conflits intérieurs. Chacune de ces raisons peut être interprétée comme un «coup d'oeil» sur l'autre monde, mais le rapport devait établir que l'imagerie semblait conforme à l'hypothèse de la survie.

«Par exemple, la caractéristique fondamentale de chaque apparition consiste en son souhait ostensible d'amener le patient dans un autre mode de vie. Une analyse attentive des facteurs médicaux nous permet d'affirmer que ceux-ci n'expliquaient pas la continuité de l'hypothèse de la survie. Pas plus, d'ailleurs, que les facteurs religieux.»

D'après le rapport, «la majeure partie de la recherche antérieure reposait sur les dires de médiums influencés par la philosophie spiritiste occidentale. Pour contourner la possibilité des influences culturelles, nous avons choisi des agonisants de diverses cultures et de religions différentes. Le fait que les mêmes phénomènes de base se retrouvent chez des patients de cultures aussi différentes que des chrétiens, des juifs, des musulmans et des hindous, ajoute à la crédibilité de ce travail.»

La deuxième aire d'évidence circonstancielle à l'appui de la croyance en une vie après la mort comprend les expériences de décorporation. «Si l'on peut démontrer qu'au moins une partie de la personnalité humaine peut exister et opérer en dehors du corps physique, en tant que projection extra-corporelle, lit-on dans le rapport, on peut par le fait même supposer que cette partie, appelons-là l'âme, pourrait également opérer une fois le corps désintégré après la mort.»

Dans le but de vérifier ce phénomène, Osis imagina la méthode du «voyageur»[1]. Il demanda aux gens qui se croyaient capables de décorporation de sortir de leur corps, à un moment précis où Osis et ses collègues avaient choisi une «cible» que ces «voyageurs» auraient pu voir en laissant leur corps à la maison. Un bon nombre de gens écrivirent ou téléphonèrent à l'ASPR dans le but de participer à ces voyages. Parmi les candidats qui prétendaient être de bons sujets à la décorporation, peu réussirent à identifier correctement la cible dans les bureaux de l'ASPR à New York. L'analyse statistique déclara ces expériences non signifiantes.

---

1. *Fly-in method* dans le texte.

Les chercheurs de l'ASPR apprirent quand même beaucoup de choses sur les expériences extra-corporelles. Par exemple, qu'il importait peu que les «voyageurs» qui avaient identifié la cible à distance fussent debout ou couchés; ou encore, qu'ils aient eu l'impression d'opérer dans un «corps astral» ou sans corps. Ceux qui virent le plus clairement la cible affichèrent les caractéristiques communes suivantes: ils perdirent contact avec la réalité pendant très peu de temps, n'ayant toutefois pas l'impression d'avoir quitté leur corps pendant la durée de l'expérience; à un moment donné, ils étaient à la maison et tout à coup ils se sentirent «atterrir», à un endroit désigné du laboratoire de l'ASPR. Les «voyages» qui ne présentèrent pas ces attributs se soldèrent par un échec. L'insuccès attendait les sujets si, d'après eux, la décorporation avait été lente et difficile, s'ils avaient gardé connaissance tout au cours de l'exit, si le voyage dans l'espace avait été long, ou s'ils avaient eu recours à un «véhicule» pour faire le «voyage». Ceux qui n'atterrirent pas à l'endroit désigné du bureau de l'ASPR ou qui ne purent trouver cet endroit ratèrent leur «voyage». Enfin, ceux qui se crurent, en même temps, dans leur corps et à l'ASPR, échouèrent. Et Osis de conclure:

«De tout ceci, nous nous crûmes justifiés de tirer une première conclusion, à savoir que les conditions favorables aux expériences de décorporation ne sont pas nécessairement les mêmes que celles des perceptions extra-sensorielles, comme la relaxation. Nous avions le sentiment que cette observation supporte notre hypothèse que le processus d'acquisition de renseignements dans les cas de décorporation n'est pas le même que dans les cas de perceptions extra-sensorielles.»

Cette dernière constatation est cruciale; elle trace une ligne bien définie entre les deux types de perceptions, soit par décorporation et par télépathie. Nous tenons cette distinction pour preuve circonstancielle d'une vie après la mort. C'est là toutefois un argument fragile. Comment, en effet, distinguer, sans l'ombre d'un doute, entre un «voyage de l'âme» et une expérience de télépathie ou de clairvoyance?

Pour réfuter cette objection, l'ASPR mit au point une méthode spéciale de laboratoire dans le but d'établir si une observation tirée d'une expérience de décorporation est «réellement conforme à l'idée que se fait le projectionniste de l'emplacement de son point de regard». Mais comment monter une pareille expérience? Comment peut-on savoir si le sujet de la décorporation voit l'objet d'un angle particulier — comme le verrait l'oeil d'un être humain — plutôt que d'en obtenir seulement un coup d'oeil global?

L'ASPR utilisa deux instruments d'optique: le dispositif à image optique et la roue à couleurs. La seule ouverture qui permette de voir la cible en entier est une petite fenêtre percée dans chacun des instruments. Ce montage fut imaginé dans le but d'éliminer le recours à la clairvoyance, qui permettrait au sujet d'obtenir d'un seul coup d'oeil une vue d'ensemble de la cible, tandis qu'au moyen des deux instruments combinés, le sujet de la décorporation, qui prétend percevoir l'objet d'un point donné dans l'espace, ne verrait la cible qu'à travers la fenêtre, telle que transformée par les deux instruments d'optique.»

Ce que le sujet de la décorporation voyait à travers le dispositif se trouvait modifié par les lentilles. Tout au long de l'expérience, le sujet était assis ou couché dans une pièce autre que le laboratoire, souvent dans une pièce insonorisée à l'autre bout de l'édifice. Sa tâche était de projeter son «autre soi» devant la petite fenêtre de l'appareil et de dire ce qu'il voyait.

On soumit plusieurs sujets à l'expérience... travail délicat dont la discipline risquait d'inhiber le bon déroulement de la décorporation. On trouva enfin un sujet extraordinaire, le docteur Alex Tanous. Avec prudence, le rapport explique que Tanous donna des «résultats encourageants». Tanous étant disponible pour une année complète, Osis put donc planifier ses expériences. D'un point de vue quantitatif, le travail de Tanous restait statistiquement peu signifiant. Cependant, la validité statistique de ces expériences se rangeait du côté de «l'hypothèse de la décorporation». Dans son livre *Beyond Coincidence* (New York, 1976), Tanous donne ses impressions sur ce que l'on ressent quand on est le sujet d'expériences extra-corporelles en laboratoire. Auparavant, il avait participé à deux séries d'expériences importantes avec le docteur Osis: les images de fantômes, les brumes et les nuages, ainsi que d'autres phénomènes auxquels participent certains gens sur leur lit de mort, d'une part, et d'autre part, les déplacements extra-corporels de personnes tenues pour cliniquement mortes sur la table d'opération ou bien de personnes atteintes d'une défaillance cardiaque, qu'on a ranimées.

Tanous lui-même avait connu la décorporation et son frère, mort en 1957, lui avait fait part de ses visions sur son lit de mort. Alors qu'il travaillait dans un hôpital pour incurables, à Boston, Alex Tanous vit, à plusieurs occasions, «des vapeurs informes sortir d'une personne qui venait de mourir». Tanous participa également à la première expérience «voyage» décrite plus haut. L'une de ses premières expériences extra-corporelles à distance fut dirigée par Madame Vera Feldman, à partir du laboratoire de l'ASPR de New York. Tanous se trouvait à Portland, Maine. Sa tâche consistait à «voyager» jusqu'au laboratoire, à décrire les objets placés sur une table à café, les dessiner et, plus tard, décrire sa vision au téléphone.

Dans un de ces tests, Tanous se dit intrigué par une division entre les objets et les couleurs qu'il avait vus. Madame Feldman lui dit que sa précision était extraordinaire, «la table étant divisée en deux parties». A dessein, l'équipe avait séparé les objets sur la table. «Mais, demanda-t-elle, qu'avez-vous vu?»

«Vera, répondit Tanous, j'ai vu une chandelle, et quelque chose qui l'enveloppait. Il y avait aussi une pièce de bois.»

«Juste ciel, dit-elle, vous tombez pile!»

Dans un autre «voyage», Tanous vit un panier de fruits, ce à quoi Madame Feldman répondit: «Oui, oui, c'était exactement cela.»

Une autre fois, Tanous vit un couteau déposé sur la table: en réalité c'était un coupe-papier. Il vit également, autour de la table qui servit de cible, Madame Feldman en train de boire une tasse de thé en compagnie du docteur Osis. Dans ce même «voyage», il vit aussi madame Feldman se pencher vers la table.

Considérant que la direction du regard constitue un facteur de première importance dans les expériences destinées à distinguer les visions extra-corporelles de la clairvoyance ou de la télépathie, il est bon de noter que le point d'observation de Tanous permettait à son regard de planer au-dessus de la table. En fait, pour vérifier l'exactitude des dessins de Tanous, les gens de l'ASPR durent monter dans une échelle et regarder la table d'en haut.

Un jour, Tanous et un autre voyant se «rencontrèrent» à la table-cible. Alors que Tanous «voyageait» du Maine, Christine Whiting le vit planer au-dessus de la table. Osis prit note de cet événement inusité: «Quand un voyant expérimenté était dans l'aire de projection, écrit-il, Madame Whiting voyait le projectionniste à peu près au moment de la projection.» Parlant de Tanous flottant au-dessus de notre «étalage», Osis ajoute: «Il était penché en avant et flottait au-dessus. Madame Whiting le vit plié comme un canif. Elle ne perçut pas seulement une image vague de Tanous, elle le vit avec réalisme, en manches de chemise et vêtu d'un pantalon de velours côtelé.

En fait, Tanous portait un pantalon rayé qui ressemblait à du velours cotelé.»

Les expériences de décorporation les plus frappantes ne peuvent pas toujours être statistiquement planifiées. Un jour, par exemple, Osis demanda à Tanous s'il pouvait localiser une ancienne collaboratrice de l'ASPR, Madame Mary Lou Carlson, partie pour la Californie. A sa première tentative, Tanous dit ne voir que des montagnes et de l'eau. Une maison attira son attention par son étrangeté. Ce n'était pas une maison régulière. Il ne pouvait en dire davantage à Osis. Mais à la deuxième tentative, il entrevit Madame Carlson s'affairant sur une péniche.

Tanous attendit au lendemain pour faire part de ses observations à Osis. Cette nouvelle produisit tout un choc: Madame Carlson vivait, à l'époque, dans une maison flottante sur la côte de la Californie. Tanous décrivit correctement le bateau ainsi que la robe de Madame Carlson. Les sceptiques seront tentés de croire que tous ces faits insolites sont le fruit d'une conspiration entre les participants. Alex Tanous et Madame Carlson auraient pu se mettre en communication, par téléphone, sans qu'Osis n'en sache quoi que ce soit. C'est possible, mais cette sorte de données ne fait pas partie de l'évaluation quantitative qui, d'après Osis, étoffe l'hypothèse de la décorporation.

Dans son travail avec les appareils optiques de l'ASPR, Tanous rencontra des difficultés inattendues. Son «être» décorporé sembla plus court que son vrai corps physique. Il avait dû se tenir sur le bout de ses pieds pour atteindre l'étroite ouverture de l'appareil. Tel que nous l'avons précisé plus haut, l'appareil optique fut monté de manière à éliminer la vue d'ensemble qu'on peut attribuer à la clairvoyance. Seuls ceux qui se tiennent devant l'appareil ont la possibilité de voir et de capter la cible recherchée. «La fenêtre de l'appareil est percée à peu près à la hauteur des yeux pour une personne de taille moyenne. Mon «moi projeté», mon corps astral tel que je le vois n'a presque pas de hauteur. C'est une petite boule de lumière. Pour voir dans l'ouverture, je devais m'étirer», raconta Tanous. L'ASPR plaça donc devant le dispositif optique une petite plate-forme d'environ deux pouces de hauteur. «C'était exactement ce qu'il me fallait», dit Tanous. Par la suite, il put regarder par la fenêtre et décrire ce qu'il voyait. Tout ceci faisait partie d'un processus d'apprentissage. D'autres sujets à la décorporation admettent que les résultats s'amélioraient avec l'expérience. Tanous décrit ainsi son fonctionnement: «Je m'enferme dans une pièce tranquille, je me trouve une position confortable, et je me dis: Esprit, quitte maintenant mon corps! Va à New York! Entre dans le bureau du docteur Osis!»

On s'amuse souvent de l'inattendu, mais le chercheur en est souvent mécontent. Un jour, Tanous se croyait en face de l'appareil optique, dans le laboratoire de l'ASPR, alors qu'en réalité, il se trouvait physiquement isolé dans une boîte d'acier. «La lumière est trop brillante», cria-t-il à Madame Bonnie Perskari, alors en service.

Elle répondit: «Mon Alex, l'équipement fonctionne parfaitement bien.»

«Je ne vois rien, reprit Tanous. La lumière est trop forte. Quelque chose ne va pas!»

Madame Perskari entreprit de vérifier. Un moment après, la porte de la boîte d'acier s'ouvrit et Bonnie Perskari apparut, souriante. «Vous aviez raison, Alex, dit-elle, tout à fait raison. La lumière illuminant la cible était plus brillante que voulu.»

Tanous se mit à rire, disant: «Comment aurais-je pu savoir?»

Madame Perskari reprit: «Il n'y a qu'une explication. Vous avez dû être là. Dommage que nous ne puissions inclure cet incident dans notre analyse statistique. A cause de ce dérèglement, nous devons rejeter toute l'expérience.»

Tanous savait quand son rendement était bon et quand il était mauvais. Comme Osis l'écrit lui-même dans son rapport: «Tanous avait cultivé des critères d'introspection tels qu'il pouvait identifier ses tentatives les mieux réussies en projections extra-corporelles.» Selon Osis, les prétendus «essais à haute confiance»[1] entrepris vers la fin de l'expérience «approchèrent la validité statistique». A tout prendre, souligne Osis, «Tanous décorporé semblait «présent» à la fenêtre de l'appareil pendant les «essais à haute confiance» et semblait «absent» pendant les «essais à basse confiance».

---

1. *High confidence trials* dans le texte.

8

La terre pour laboratoire

Quand le docteur Karlis Osis, à l'époque affilié au laboratoire de l'Université Duke, lança son expérience transmondiale de communication avec les morts, il appliqua des méthodes modernes de recherche à la solution d'un problème vieux comme le monde. Dans l'Ancien Testament, la prophétesse d'Endor (I Samuel 28:7-25) opéra exactement à la manière d'un médium; par son truchement, une entité parla au roi Saül; elle vit l'entité, la décrivit et, ensuite, s'adressa directement à Saül. La tâche d'Osis peut être ainsi définie: «Des expériences utilisant des médiums comme sujets dans le but d'apporter des preuves de la survie après la mort furent soigneusement montées. Toujours dans le but de savoir si les phénomènes médiumniques classiques, tels les messages concernant les personnes mortes, ainsi que les *recoupements,* pouvaient servir à des expériences modernes, diverses *explorations* ont été entreprises.

Qu'entend-on par «recoupements»? Dans le magazine trimestriel *Tomorrow* que je dirigeais, au printemps de 1958, le docteur Osis expliqua cette méthode, dans un article intitulé «Nouvelle recherche de la survie après la mort». On y lit que les «recoupements» portent sur un message venant d'un présumé communicateur; une partie est livrée à un médium, et la seconde partie à un autre. On ne comprend le message qu'en fusionnant les deux parties. En d'autres mots, c'est un peu comme un puzzle; l'entité désincarnée fragmente l'information, en diffuse les parties à différents médiums, et les fragments sont recueillis et assemblés par un chercheur. Cette méthode a pour but d'éliminer la possibilité de télépathie qui, lors de séances, s'établit entre un invité et le médium. Huit ans plus tard, Osis publia le résultat de son travail sous le titre: «Linkage Experiments with Mediums», dans le *Journal of the American Society for Psychical Research* (avril 1966). Osis cita les paroles du docteur Gardner Murphy (reproduites au chapitre 6), par lesquelles ce dernier réclame des «esprits plus courageux» pour l'étude de la vie après la mort. Afin de combiner certaines méthodes traditionnelles avec des projets modernes, Osis opta non seulement pour la méthode des recoupements, mais il en choisit deux autres: celle des «procurations» et celle des «rendez-vous».[1]

La méthode par procuration a pour but de placer un bouclier entre le médium et un invité susceptible de se faire «piller le cerveau» par un médium. La méthode du «rendez-vous» repose sur la coopération intelligente d'un mort. L'expérimentateur demande au défunt: «Auriez-vous l'obligeance de passer tel message par le truchement de tel médium, à la date et à l'endroit désigné.»

Les expérimentateurs peuvent se fourvoyer dans l'utilisation de ces trois méthodes. Osis fit donc de son mieux pour que la combinaison soit à toute épreuve. Il demanda d'abord à son «agent de rendez-vous» d'entrer en rapport avec l'esprit du défunt. Cette phase de l'expérience avait lieu en présence d'un invité intéressé. On apportait donc des objets ayant appartenu au mort, soit

---

1. *Appointment method* dans le texte.

des photos ou autres articles. Une fois ce contact établi, un rendez-vous était fixé entre l'esprit et plusieurs médiums. On s'entendait sur une date, le lieu et l'heure. L'esprit acceptait d'être «convoqué» au moyen d'un code, tel un prénom ou un sobriquet. La première expérience porta sur un biologiste mondialement connu. Osis se garda de révéler son nom. Mais dix ans après l'expérience, on sut qu'il s'agissait du professeur Walter Henrick Fisher. Selon une note nécrologique parue dans le magazine britannique *Nature,* le 9 janvier 1954, Fisher est né à Ossining, New York, le 1er février 1878. Il mourut en Californie, le 2 novembre 1953. Au moment de son décès, il était professeur émérite de zoologie à l'Université Stanford, à Palo Alto. Toute sa carrière est une longue association avec cette institution où il obtint son baccalauréat en 1901 et son doctorat en 1906.

Fisher s'intéressa d'abord à la botanique — après de nombreuses expéditions dans la nature — et devint une autorité reconnue pour ses études sur les étoiles de mer. Sa renommée remonte à 1906, alors qu'il publia un ouvrage intitulé: «Les étoiles de mer des îles hawaïennes». Elu «Fellow» de l'Académie des sciences de la Californie, cette institution le choisit pour être le conservateur de ses collections, poste que Fisher occupa de 1916 à 1932. En 1917, il était aussi directeur résident de la *Hopkins Marine Station,* à Pacific Grove. Cette station relevait de l'Université Stanford. Par ses recherches intensives sur la faune marine de la région de Monterey Bay, Fisher devait établir la réputation de ce laboratoire de recherche biologique et océanographique, en même temps que grandissait sa carrière de professeur et de savant influent.

Dans l'expérience d'Osis, sa situation à l'Université Stanford ainsi que ses activités de retraité sont toutes deux importantes. Le magazine britannique révéla que, peu après sa retraite en 1943, Fisher trouva le temps de cultiver ses aptitudes artistiques. Ayant déjà illustré lui-même des rapports scientifiques, il s'adonna à la peinture à l'huile. Ses natures mortes et ses portraits témoignent de son talent.

Tout au long de l'expérience, la veuve de Fisher servit d'«agent vivant», comme l'explique Osis. D'ailleurs, Fisher et sa femme formaient un couple très uni. Osis prétendait qu'il y avait un lien télépathique entre eux. Comme Madame Fisher aimait le rappeler, elle et son mari vécurent un temps sur une petite île où il n'y avait pas de magasins. Si elle avait besoin de certains articles d'épicerie, elle se concentrait fortement sur lesdits articles. Le soir, son mari, revenant de la terre ferme, avait les articles en question sous le bras. Toujours selon Madame Fisher, son mari, après sa mort, avait communiqué avec elle au moyen de l'écriture automatique. Tout comme elle, un ami recevait également ces messages. L'écriture automatique donne l'impression que la main du «receveur» est guidée par une force indépendante de sa volonté, force que l'on identifie à l'esprit du défunt.

Afin d'obtenir de l'information fragmentée, Osis dut recourir aux services de trois assistants. L'un, à Philadelphie, obtint la coopération de trois médiums. Le deuxième, à Munich (Dr Gerda Walther, 1897-1977), prépara les séances avec deux médiums en Allemagne, et deux en Suisse. Le troisième, posté à New York, organisa des rencontres avec cinq médiums par l'entremise d'un sous-assistant, en Angleterre. En tout, treize médiums furent de la partie. Osis prépara une liste de douze questions à soumettre séparément aux différents médiums. Au préalable, il avait obtenu l'approbation de Madame Fisher, laquelle affirmait avoir reçu le feu vert de son défunt mari.

Dans ses recommandations, le docteur Osis suggéra aux médiums d'utiliser l'écriture automatique, parce que le communicateur, disait-il, «est habitué à cette méthode». Mais il les laissa libres de choisir. Afin de créer une atmosphère favorable, il demanda aux médiums de se concentrer sur les mots clés «Pink Iris» et «May Queen» ainsi que sur une photo du docteur Fisher. Ils devaient permettre au communicateur de s'exprimer librement, après quoi ils pourraient poser les questions suivantes:

1- En une phrase ou deux, pouvez-vous décrire votre maison?
2- Quand votre femme apportait le café, qu'aviez-vous l'habitude de dire?
3- Quel sobriquet portait votre femme?
4- A quelle date est née votre femme?
5- A quelle date êtes-vous né?
6- Quelle était votre occupation?
7- En quoi consistait principalement votre travail?
8- Quelle est la première phrase clé que vous avez donnée?
9- Au moment de quitter cette terre, sur quoi travailliez-vous?
10- Où êtes-vous allé lors de votre dernier voyage sur terre?
11- En regardant le film *David Copperfield,* qu'est-ce qui vous a le plus bouleversé?
12- S'il vous plaît, dites une phrase qui vous caractérise?

Au moment d'envoyer ce questionnaire à ses collaborateurs, Osis ne connaissait les réponses qu'aux questions six, sept et huit. A la réception des rapports, Osis se rendit compte que le texte était exigeant, qu'il en demandait trop, que la rigidité semblait avoir restreint le débit de l'imagerie. Néanmoins, un sujet réussit à obtenir la date de naissance de Madame Fisher. Un autre médium obtint aussi la date, mais l'attribua au mari. Ce même sujet donna les bons mois pour chacun des deux époux, mais se trompa dans les quantièmes, soit deux jours pour Madame Fisher, et trois jours pour son mari. D'après Osis, la photo aurait pu suggérer l'âge du défunt, mais certainement pas l'âge de sa femme car elle avait vingt ans de

moins que lui, ni les mois et les jours de naissance.
Les sujets ne purent jamais identifier les pays ni les villes. Toutefois, l'un des sujets anglais réalisa une chose remarquable — le docteur Osis parla d'exploit — en révélant que le biologiste avait en effet enseigné à l'Université Standford. Un autre sujet fut près de la réussite en disant que le dernier travail de Fisher avait été un portrait. En réalité, il s'agissait d'une nature morte au milieu de laquelle une tête était peinte. Osis tira les conclusions suivantes de cette expérience: — Quoique les réponses ne soient pas indicatives de la source d'information, les incorrections étant trop nombreuses, elles nous invitent à explorer d'autres avenues.

Il imagina alors la méthode des «marqueurs»[1], encouragé dans cette veine par une femme, Madame A., en réalité Ann Jensen, de Dallas, épouse d'un homme d'affaires du Texas. Elle avait la certitude d'avoir été en communication avec un vieil ami défunt, nommé Ross, qui s'était suicidé en octobre 1953. Après sa mort, il apparut dans les songes et les visions de Madame Jensen. Une nuit, au cours d'une conversation avec Ross, cette dernière le mit au défi de faire la preuve de son identité.
— Je ne peux croire que vous êtes ici, dit-elle. Et Ross répliqua, d'un ton moqueur:
— Je suppose que vous en voulez la preuve?
— Oui, dit Madame Jensen.
— Seriez-vous satisfaite si je vous retournais votre médaillon?

Madame Jensen se rappelait que, plusieurs années auparavant, lors d'une visite chez la mère de Ross, avec son bébé, elle avait oublié le médaillon de l'enfant.
— J'aimerais le conserver comme porte-bonheur, avait dit Ross, le glissant dans son portefeuille. Mme Jensen raconta son rêve à une amie, qu'Osis appelle Madame B.

---

1. *Tracer elements* dans le texte.

Quelques jours plus tard, alors qu'elle se trouvait à La Nouvelle-Orléans, Madame Jensen téléphona chez elle à Dallas.

— Ai-je reçu du courrier? demanda-t-elle à son mari.

— Oui, tu as reçu une lettre, je l'ai ouverte par mégarde. L'enveloppe ne contenait rien, sauf un vieux médaillon démodé. Osis vérifia auprès de Madame B. Elle lui raconta que son amie, Madame Jensen, lui avait téléphoné un matin pour lui dire: «Ross était ici la nuit dernière; il m'a dit que quelqu'un avait mon médaillon et qu'on me le rendrait.»

Voilà donc qu'une semaine ou deux après le rêve — et à aucun autre moment avant la mort de Ross, survenue en octobre 1953 — le médaillon arrive par la poste.

— Evidemment, explique Osis, il n'est pas tombé du ciel. Il fut envoyé du Canada. La veuve de Ross (elle n'avait aucun contact avec Madame Jensen, depuis des années) le lui envoya. Quelle raison poussait Madame Ross à agir ainsi?» Osis fit l'analyse des explications vraisemblables. Madame Jensen pratiquait-elle la précognition? Influença-t-elle par télépathie la veuve Ross? Selon Osis, la «raison apparente» de cet incident s'expliquerait par le fait que Ross voulait à tout prix démontrer la «continuité de son existence» à Madame Jensen.

Osis décida donc de mettre à profit ce qui semblait être une voie de communication liant deux personnes, l'une dans ce monde, l'autre dans l'au-delà. Le premier test eut lieu au début de 1956. Comme il l'avait fait pour Fisher, Osis renonça à la méthode rigide. Il choisit deux codes, le nombre «427» et le mot «faible» que l'*esprit* devait prononcer, comme ça, dans la conversation, au cours d'un entretien à bâtons rompus. Osis commanda aux médiums de porter leur attention sur le nom de Ross et leur fixa une heure précise et la date du 12 février. Ils devaient éviter de poser des questions, et resteraient attentifs pour pouvoir capter des messages «simples» et même «banals». Cependant, Osis prévint les médiums de la possibilité que le communicateur utilise certains mots, peut-être même un nombre de trois chiffres, au cours de l'entretien.

L'équipe comprenait des assistants de Philadelphie, de New York et de Munich, ainsi qu'un sous-assistant posté en Angleterre. Au total, il y avait cinq sujets-médiums. Seulement deux des cinq médiums captèrent le nombre de trois chiffres, mais seulement l'un d'entre eux identifia les deux premiers chiffres comme étant 42. Nulle part on n'enregistra le mot clé. Le médium en Suisse releva le mot «Ane». Selon Anne Jensen, il arrivait que Ross écrive volontairement *Ane* au lieu d'Anne. Osis qualifia de «peu probable» cette coïncidence.

Deux des médiums révélèrent que Ross avait été membre de la fraternité de la Rose-Croix. Celui d'Angleterre le décela clairement, alors que celui de Suisse dessina l'«oeil voyant tout», symbole rosicrucien. En effet, Ross avait appartenu aux Rose-Croix. Un coup de chance inattendu. Il y eut également quelques allusions cachées concernant un médaillon suspendu au cou par une fine chaîne, comme un collier. En Suisse, on reçut le message sous forme de dessin automatique représentant des chaînes sous trois formes. Le message faisait aussi allusion à quelque chose qui ressemblait à un collier de dentelle sur les épaules d'une robe de femme. Osis vit dans cette formulation le moyen de communiquer, sous la forme visuelle, le mot «collier», comme on le ferait dans une charade.1

Au moment de l'expérience, Madame Jensen reçut un «message» de Ross, l'informant «qu'une lettre était en route» mais qu'elle aurait de nombreux retards avant d'être livrée. Pour Osis, on pouvait s'attendre à recevoir

---

1. Pour les quelques lignes du texte anglais qui portent sur cet échange de mots entre l'esprit et les médiums, la traduction littérale des allusions au collier n'a plus de sens. En anglais, collier se dit *necklace,* mot fait des deux mots *neck* (cou) et *lace* (dentelle). En donner en français le mot à mot serait aussi futile que de traduire un calembour.

ces «recoupements» à une prochaine séance. Pour corroborer les résultats de la première expérience, il faudrait que la seconde fournisse des renseignements similaires. Madame Jensen informa Osis que Ross suggérait le recours à un certain parfum comme «marqueur» ou code. Sous prétexte que le parfum n'est pas de nature à stimuler un médium, Osis rejeta la suggestion. Mais Ann Jensen insista.

— Je persiste à croire, dit-elle, le 6 avril 1956, que le parfum est une bonne cible. J'en ai une bouteille qui m'a été offerte par Ross. Il s'appelle «Golliwog».

Dans le même courrier, Osis reçut un billet du médium de Philadelphie (en date du 7 avril), billet dans lequel cette femme déclarait devoir interrompre sa lettre «parce qu'elle est enveloppée d'un nuage de merveilleux parfum»... qu'elle qualifiait de «parfum de l'esprit». Elle affirmait que c'était sa première expérience du genre, et que, dans sa chambre, toutes ses bouteilles de parfum étaient bien bouchées. Cette femme se nomme Madame Dorothy Donath, auteur d'un livre intitulé: «Buddhism for the West», à New York. Avec la permission des chercheurs, j'ai pu positivement l'identifier.

Osis finit par céder à cette subtile pression d'outre-tombe. Il incorpora le facteur parfum dans l'expérience qui devait suivre, ainsi que le nombre «574» et le code «daim»[1], un mot rare et curieux. Huit médiums participèrent aux expériences du 9 et du 18 avril, un en Islande, un autre en Angleterre, trois à Philadelphie et un au Texas. Les médiums de Philadelphie et de New York eurent droit, individuellement, à un assistant. «Sans que nous le sachions, explique Osis dans un rapport détaillé, Madame *A* avait amené dans l'expérience le médium *S* du Texas. Cela nous sembla une fantaisie illogique, car Madame *S* avait connu Ross et gardait de lui des souvenirs

---

1. *Fallow-deer* dans le texte.

susceptibles de passer pour des «messages».» Ce ne fut pas le cas cependant. Comme on le verra plus loin, Madame *S* apporta une importante contribution.

Hélas! aucun des médiums ne capta les codes choisis. Les surprises vinrent de directions inattendues. Le médium de New York révéla que la tombe de Ross se trouvait sur le versant nord-ouest d'une colline, ce qui était véridique. Il fournit également le nom de la fille de Ross et fit de fortes allusions aux violons d'Ingres de son gendre, soit la photographie et le dessin. Pour sa part, le médium du Texas capta les mots dentelle, mouchoir, cercueil. A Philadelphie, le médium, d'habitude habile à recevoir des messages d'esprits par le truchement d'un pendule placé au-dessus de lettres disposées en cercle, reçut l'ordre de faire un dessin.

«Prenez votre crayon et tracez une ligne. Tracez une autre ligne en travers de l'extrémité. La moitié de cette ligne a été coupée en plein milieu. Tracez une autre ligne plus prononcée, par-dessus la première. Tracez une autre ligne en travers du bout des deux lignes. Maintenant, reliez le fond. Du côté gauche, faites une marque comme une charnière. Répétez du côté droit. Placez un soleil levant sur le côté et un trou au milieu du soleil. Placez une longue poignée de chaque côté. Lentement mais sûrement.»

Le médium fit de son mieux mais ne put suivre à la lettre les commandements. Elle avait peur. Elle craignit de voir son dessin devenir un cercueil et ce symbole l'inquiéta. Cependant, Madame Jensen vit autre chose dans le dessin: il lui rappela un coffret à compartiments que Ross utilisait pour y mettre des bijoux, des bagues, des boutons de manchettes, des montres, etc. A vrai dire, le dessin aurait pu représenter le coffret dans lequel Ross gardait le médaillon, objet qui avait déclenché toutes ces expériences.

Dans un rapport publié dans l'*ASPR Journal,* Osis note que Ross a tenté de faire la preuve de sa survie après la mort. Il pense que les allusions tirées des nombreuses séances se confirment et se clarifient mutuellement. Les médiums semblent avoir capté deux expériences mettant en cause Madame Jensen et Ross: l'incident du médaillon ainsi qu'un rêve qui se métamorphose en boîte d'orchidées et devient le cercueil de Ross. En ce qui a trait aux allusions touchant un collier ou un médaillon, elles se sont surtout manifestées durant la première série de séances. Osis estime que les coïncidences sont trop nombreuses pour être portées au compte de la chance. A tout prendre, conclut-il ces expériences n'établissent peut-être pas la preuve irréfutable d'une communication avec le défunt, mais elles sont trop troublantes pour qu'on les ignore.

9

Le cas du chaton psycho-sensible

Depuis des années, la ville de Durham est un centre de recherche psychique. C'est là que le docteur J.B. Rhine dirigea le laboratoire de parapsychologie de l'Université Duke, et connut la renommée. C'est là également que ce vieux chêne solide planta le fruit prometteur que fut la *Psychical Research Foundation,* dirigée par son adjoint, William G. Roll.

Quand l'argent du testament de Kidd eut été réparti, selon le voeu du donataire, l'*American Society for Psychical Research,* de New York, en donna une partie au laboratoire de Roll, dont la fonction première consistait à prouver la survie de la personnalité dans l'au-delà. Comme Rhine avait abandonné ses travaux sur la survie, pour s'engager dans la recherche des différentes formes de perception extra-sensorielle, le bienfaiteur, M. Charles Ozanne, instigateur de la création de la *PRF,* avait pris des dispositions financières pour que cette institution fonctionne indépendamment du laboratoire de Rhine.

Selon le trimestriel *Theta,* publié par la Fondation, «la pérennité de l'être après la mort constitue le mystère le plus profond de l'univers humain». Par ses études et ses publications, la Fondation couvre un vaste champ, c'est-à-dire tout ce qui touche à la survie de l'être humain, y compris les communications médiumniques, la réincarnation, les apparitions et les bruits insolites. Mais elle va plus loin. Elle étudie aussi les «états modifiés de la conscience», telles les expériences de décorporation qui ont un lien étroit avec les phénomènes reliés au problème de la survie.

A New York, Osis avait étudié les phénomènes de la décorporation par le truchement de «voyages» en provenance du Maine et autres Etats éloignés. Le groupe Roll voulait aborder ces questions sous un autre angle. De l'avis de Ross, c'est une chose, pour une personne en état de décorporation, de voir des gens et des objets autour d'elle, mais ce serait une tout autre chose si une personne pouvait voir ou sentir l'être flottant autour de son corps. Mais les gens sont facilement victimes de leur imagination; nombreux sont ceux qui se croient en état de décorporation, alors qu'il n'en est rien. Que faire alors? Faut-il éliminer toute participation humaine?

Pourquoi pas les animaux? D'une manière encore inconnue, serait-il possible à un animal d'«observer» une personne en condition de décorporation?

Ce que certains appellent l'«âme», Roll le nomme «aspects Theta» ou définition des «aspects permanents de la personnalité». Comme nous le savons maintenant, ces «aspects» sont les parties de notre personnalité capables de se séparer de notre corps vivant, donc capables de survivre à notre mort corporelle. Dans la revue *Theta* de l'été 1974, le docteur Robert L. Morris rendit compte de son travail, subventionné par le fonds Kidd. Sa communication était intitulée: «PRF Research on Out-of-Body Experiences, 1973». Le sujet le plus prometteur fut Monsieur Stuart (Blue) Harary, étudiant en psychologie à l'Université Duke. La nuit, durant son sommeil, Blue subissait souvent la décorporation. D'après Morris, Harary se préparait à ses expériences extra-corporelles en s'efforçant, pendant la journée, de se relaxer, d'éviter les conflits et autres incidents susceptibles de le distraire au cours des séances.

Juste avant la décorporation, Harary marche un certain temps, prend un bain, se livre à la méditation et, finalement, se retire dans une pièce tranquille. Là, il s'emploie à la relaxation musculaire. Dès que sa préparation mentale et corporelle est à point, Harary avoue qu'il lui est difficile d'échapper à la décorporation. Les chercheurs de l'équipe ont envoyé Harary «en voyage» à plusieurs reprises, lui demandant de décrire une cible ou d'influencer un appareil délicat de détection. Ceux qui surveillent le détecteur ne sont pas prévenus à quel moment se produira la décorporation de Harary. De plus, ils se trouvent installés à plus d'un mille du «tremplin» de Harary.

Une fois que l'équipe de Roll eut décidé de recourir aux animaux pour vérifier les «voyages» de Harary, elle rassembla dans un zoo miniature plusieurs rats, un hamster, deux chatons et un serpent. Les rats et le hamster ne se rendirent jamais compte des «visites» de Blue Harary. Ils continuèrent à ronger les barreaux de leur cage ou à ne rien faire.

Le rendement des petits chats fut meilleur... ce qui permit à *Esprit* d'entrer en scène. Ce chaton était une créature tout à fait différente des autres animaux. Un jour, Blue se rendit chez un voisin pour voir une portée de chatons. Alors qu'il s'amusait avec eux, l'un des chatons, «Esprit», s'approcha de lui. Selon le récit de Morris, un second chaton s'approcha du premier et joua avec lui. Comme le premier chaton avait manifesté certaines affinités avec lui, Harary décida de l'amener à son logis, de même que le chaton numéro 2, pour tenir compagnie au premier. Plus tard, le chaton numéro 1 devait réagir à la décoration de Harary, alors que le chaton numéro 2, surnommé *Âme,* n'afficha aucune réaction. Laissez-moi vous décrire comment se déroulent ces expériences avec ces animaux. Le problème fondamental consiste à trouver un moyen de quantifier les résultats. A cette fin, les mouvements des animaux sont enregistrés pour voir si ces derniers sont détendus ou agités ou s'ils préfèrent ou pas un coin de la cage en particulier. A la première étude, on utilisa un contenant de trois pieds de profondeur, sans compartiments. Le fond, mesurant 30 pouces sur 80 pouces, fut divisé, à la peinture, en 24 carrés numérotés de dix pouces sur dix pouces. Chaque chaton y fut placé à tour de rôle. Il suffisait ensuite d'observer leur va-et-vient durant deux périodes préliminaires... suivies de périodes expérimentales s'étendant sur deux minutes. L'une de ces périodes d'observation eut lieu au moment d'une expérience de décorporation, l'autre au moment où Blue se préparait... mais parlait encore aux membres de l'équipe. Lors de la première séance, les deux chats se montrèrent très actifs. Ils traversèrent un grand nombre de carrés, miaulèrent fréquemment et essayèrent de sortir de la cage. La seconde séance donna des résultats à peu près similaires, sauf qu'un des chatons, *Esprit,* fut remarquablement tranquille durant une période expérimentale; il traversa un seul carreau, ne miaula pas et ne tenta pas de s'enfuir. Bref, *Esprit* se comporta d'une façon très calme. Or c'était durant une période de décorporation. Par la suite, nous portâmes uniquement notre attention sur le chaton *Esprit.* Nous entreprîmes quatre séries d'expériences, chacune comprenant deux séances durant la décorporation et deux autres séances hors les périodes de décorporation.

Le résultat fut saisissant. Quand Harary n'était pas en état de décorporation, c'est-à-dire qu'il ne «visitait» pas le chaton, *Esprit* se montrait anormalement agité et se déplaçait sans arrêt. Au contraire, si Harary rendait «mentalement visite» au bébé chat, celui-ci, apparemment conscient de sa présence, se calmait et cessait de miauler. Bref, Morris s'avoua convaincu de la différence «statistique» entre les deux états du chaton et ceux correspondant à Harary. Alors que Harary ne se trouvait pas en état de décorporation, le petit chat miaula 37 fois au cours de l'expérience; mais pendant la période de décorporation, il ne miaula pas une seule fois. Ou encore, en dehors des «visites mentales» de Harary, le jeune chat fit l'impossible pour sortir de sa boîte; pendant les «visites», il semblait s'y plaire. Morris en vint à la conclusion que le chaton *Esprit* se rendait compte de la présence incorporelle de Harary.

On répéta l'expérience avec le serpent, mais le comportement de cet animal ne permit aucune conclusion. De même en fut-il avec les rongeurs. Seul le chaton psychosensible s'éleva au rang de vedette. On passa alors à des personnes.

Les expérimentateurs ne décelèrent aucune différence significative d'une personne à l'autre. Chez les sujets humains, l'expectative semblait fausser les réactions. Toutefois, les préposés à la surveillance d'instruments — même si on ne les tenait pas pour participants — ressentirent quelques réactions spontanées. Selon Harary, ces réactions, quoique rares, se produisirent toutes aux bons moments.

On demanda aussi à Harary d'essayer d'influencer des instruments délicats de détection pendant ses moments de décorporation, tels des appareils à mesurer l'intensité du champ électromagnétique ou la perméabilité électromagnétique de l'air ambiant, des thermocouples, un oscilloscope et autres appareils. On enregistra bien quelques petits changements, sans pouvoir les relier aux expériences extra-corporelles de Harary. D'après Morris, hommes et instruments ne fonctionnent peut-être pas à la même fréquence, du moins dans les registres qui furent examinés. Tout comme on le fit avec Alex Tanous, Ingo Swann et autres, on demanda à Harary de «visiter» et de «lire» certaines cibles. Les membres de l'équipe placèrent des lettres de couleur sur le mur de la pièce que Harary devait «visiter» durant son expérience de décorporation. En général, les résultats ne furent pas concluants, mais dans certains cas la description fut exacte. A quelques reprises, on lui demanda de vérifier la présence d'une personne en un lieu donné. On lui suggéra trois endroits à visiter, l'informant au préalable qu'une personne attendait sa visite en un seul endroit. Le premier soir, il fit deux «voyages» et les réussit tous les deux. Il eut moins de succès aux «voyages» suivants. Là encore, l'interprétation resta incertaine.

Même si des expériences scientifiques sont sérieusement planifiées, il se produit parfois des à-côtés fascinants sujets ou non à la quantification. En voici un exemple. A sa première expérience de décorporation, Blue Harary devait «visiter» en même temps les deux jeunes chats. Mais pendant qu'il se préparait, seul dans le laboratoire, Morris se rendit compte de l'impossibilité de suivre simultanément les mouvements des deux chatons. Sans prévenir Harary, il ne laissa qu'*Esprit* dans la cage. En «visitant» la boîte, Harary s'étonna de ne trouver qu'un seul chat. Il crut avoir fait une erreur, mais il avait vu juste.

Dans un chapitre précédent, nous avons vu que Tanous, lors d'une expérience extra-corporelle, se plaignait de la trop grande intensité de la lumière. Morris raconte que Harary était capable de dire, à l'occasion de ses «visites», si les lumières de la chambre de détection étaient éteintes ou allumées. La trop grande clarté gênait l'âme de Tanous; le même phénomène se produisait pour Harary.

Dans une communication faite en janvier 1976, devant la *Southern Regional Parapsychological Association,* Harary et Roll racontèrent leur expérience au cours de laquelle Blue devait «visiter» cinq cibles inconnues. La différence de nature, de forme et de dimensions les rendaient facilement distinctes l'une de l'autre. Il s'agissait d'une bouteille, de deux «frisbees»₁, d'un hautbois et de son étui. Harary ne savait pas, avant l'expérience de décorporation, quels étaient les objets et combien il y en avait. Harary fut très fier de lui. Il avait vu un objet rond et plat comme une assiette... peut être quelque chose de noir et de carré... deux choses possiblement identiques... quelque chose de grand, debout, dans le milieu... quelque chose de rond, vraisemblablement un «frisbee» sur le dessus... peut être une bouteille. De toute évidence, c'était un succès. Il avait même identifié les «frisbees» par leur nom. En une autre occasion, Harary «sentit» que ce ne serait pas une «bonne nuit» pour sa décorporation. En fait, il ne put identifier aucun objet.

Dans une expérience totalement différente, Harary devait soumettre son «soi» désincarné à l'audition de musique enregistrée sur bande sonore. Il ne connaissait pas le programme. Le trimestriel *Theta* rapporte, à l'été 1976, que Harary identifia toutes les pièces jouées pendant l'expérience. La même revue raconte les détails d'une expérience visuelle réussie par Harary.

Nonobstant le récit des expériences de Harary, ainsi que celles menées hors du laboratoire de Roll, par le docteur Osis, à New York, et le docteur Charles Tart, de l'Université de Californie, à Davis, ainsi que de nombreux chercheurs américains contemporains, on trouve une vaste documentation plus anecdotique que scientifique. Dans l'ensemble, elle repose sur la tradition religio-occulte,

---

1. *Frisbee,* jeu en forme d'assiette.

hautement subjective et émotivement colorée. Mais ces faiblesses ne doivent pas nous empêcher de tenir pour utile cette documentation, à cause de l'intérêt suscité autour de la recherche sur la survie posthume, au moyen d'expériences extra-corporelles.

Aux expressions «voyage astral» et autres, basées sur la clairvoyance, les parapsychologues modernes préfèrent les termes de «décorporation» ou «expériences extra-corporelles». Ces dernières semblent moins ésotériques que les premières, mais elles n'en sont pas moins synonymes.

On trouve dans le folklore de la pensée scientifique une vague attitude selon laquelle on ne doit pas porter attention à ce qui ne peut être répété et vérifié en laboratoire. Très bien! Mais alors, comment prouver scientifiquement le phénomène de l'amour? Sous prétexte qu'on ne peut pas «tomber amoureux» à volonté, ce sentiment n'en est pas moins vrai. La majeure partie du monde adulte peut l'attester. Si donc une personne affirme que son âme a semblé fuir son corps, pour se mettre à voyager dans l'espace, à un moment de stress physique et émotif, cette personne ne ment pas nécessairement. Elle peut très bien dire la vérité, comme elle peut avoir été victime d'une illusion, à moins que ce ne soit un pur mensonge.

A la vérité, nous avons tous gardé de notre enfance le désir fantaisiste de nous rendre parfois invisible et de voyager là où notre imagination nous entraîne. Souvent, le rêve conditionne l'esprit. L'homme primitif a longtemps cru que ses songes le mettaient en contact avec ses morts. Les mots «ubiquité» et «bilocation» font partie d'une certaine fiction tout comme ils font partie du vocabulaire de la parapsychologie.

Et toute cette diversion parce que les expériences de Harary ne nous ont rien appris que nous ne savions déjà. «C'est le chaton *Esprit* qui nous a fourni les meilleurs résultats.» Ces résultats confirment les histoires d'animaux, surtout les animaux de compagnie, qui répondent aux «visites» invisibles de leur maître en état de décorporation. Toutefois, les études reliant des êtres humains à des détecteurs physiques n'apportent rien. A la réflexion, Blue Harary se demande si les expériences de décorporation ne nous ont pas conduits trop loin dans la généralisation et la catégorisation des conclusions. Il met en doute la prémisse voulant qu'au cours d'une expérience extra-corporelle, quelque chose — l'âme, l'essence de la personnalité ou quoi encore — quitte le corps. Par expérience, Harary admet qu'on se sent hors de son corps physique en pareille circonstance; mais il craint qu'on soit allé trop loin dans l'interprétation des résultats tirés de situations qu'on connaît très peu, qu'on comprend encore moins et qu'on ne peut décrire qu'en termes déroutants et subjectifs.

Harary insiste: «Le sentiment d'être séparé de son corps est très fort. Mais, ajoute-t-il, ce sentiment correspond-il à la réalité? Vous pouvez vous identifier à l'armoire qui se trouve en face de vous, mais cela ne fait pas de vous une armoire.» Harary devient catégorique: «Nous devons nous rappeler que cette séparation dont nous parlons si librement n'a jamais été clairement prouvée, pas plus que nous avons établi le fait que l'esprit et le corps ont été unis à un moment donné. Je ne dirai plus, ajoute-t-il, que «je suis sorti de mon corps», mais seulement que «j'avais le sentiment d'être sorti de mon corps.» A moins qu'une preuve irréfutable vienne me faire changer d'idée.»

William G. Roll, directeur scientifique de la *Psychical Research Foundation,* a publié dans la revue *Theta,* à l'été 1976, un compte rendu critique et détaillé de la recherche sur ce sujet. Ce rapport porte le titre de «Theta Project: A Study of the Process of Dying, Death, and Possible Continuation of Consciousness after Death». Il passe en revue la recherche faite à ce jour dans le but d'explorer le prolongement possible de la personnalité ou de la conscience humaine au-delà de l'organisme physique. Il est temps, croit-il, de mettre cette connaissance au service d'une exploration plus poussée des phénomènes de la mort. Si, comme nous le pensons, la mort n'est qu'un état modifié de la conscience, cet état peut très bien se poursuivre après l'arrêt de la fonction cérébrale.

Roll explore les hypothèses suggérées par ses recherches. Peut-être, avance-t-il, le vivant forme-t-il une nouvelle unité après la mort? Il relate comment les familles ou les petits groupes très unis ont du succès dans leurs contacts posthumes, quand intervient un médium. Une collaboration préférentielle s'établit avant, pendant et après la mort chez les scientifiques dont on attend la mort prochaine, à cause de l'âge, du cancer ou autres raisons.

William Roll attache beaucoup d'importance à la préparation de l'environnement posthume. Il va même jusqu'à suggérer la lecture de livres tels que *Le Livre des Mots Tibétain*.

Roll souhaite que notre tradition éducative en vienne à incorporer la préparation à la mort et à la communication posthume avec les vivants. On devrait utiliser des codes entre les vivants et on devrait aussi mettre au point des mots clés pour fin d'identité.

Dans ce domaine, Roll ne voit pas l'investigateur comme un personnage froid, détaché ou encore comme un facteur analytique. Au contraire, il perçoit l'investigateur comme une partie intégrante de la situation explorée. En d'autres mots, il estime que les relations personnelles des sujets avec l'investigateur, le but de ce dernier dans l'expérience, de même que son degré de conscience au moment de l'expérience, peuvent affecter le résultat de la recherche.

J'ai le sentiment, dans le domaine de la survie de la personnalité après la mort, que les chercheurs sont psychologiquement engagés, tout comme le sont plusieurs médecins qui voient dans la médecine une source de toute-puissance ou encore un bouclier contre la maladie ou la mort hâtive. Ce sont là des pensées profondes. Qui sait si le chaton sensible à la décorporation de son ami Blue Harary ne passera pas à l'histoire de la recherche sur l'immortalité de l'homme? Pour ma part, je suis prêt à verser ma quote-part à l'érection d'une statue pour honorer la mémoire de ce héros de la science.

10

Et que dire des animaux?

Si l'être humain vit après la mort, qu'en est-il des animaux? Surtout des chats et des chiens de compagnie qui sont presque membres de la famille? Je connais une femme qui ne tient pas particulièrement à revoir son défunt mari dans l'au-delà mais se réjouit à l'idée de retrouver ses chats d'autrefois. Si les humains ont le droit de survivre à la mort (à supposer que ce soit le cas), je ne vois pas pourquoi les animaux ne jouiraient pas de ce même droit. Je connais bien des gens incapables d'imaginer le paradis sans la présence des animaux qu'ils ont aimés.

Les expériences tentées sur le chaton psycho-sensible, nommé *Esprit,* ainsi que les plans du docteur Rhine, visant à associer des animaux aux études sur la perdurabilité de la personne, ont mis, pour ainsi dire, du pain sur la planche des scientifiques. Oublions, toutefois, dans ce chapitre, les attributs rigides de la «preuve», pour nous en tenir à des histoires appuyant une certaine évidence de la survie des animaux après leur mort.

On connaît presque autant de cas d'apparitions animales que d'apparitions humaines. «Pendant quatorze ans, j'ai eu un chien nommé Rover», raconte G. Reeves,

138

de Brooklin, dans le journal *The Star* du 7 janvier 1973. «Une semaine après sa mort, je l'ai vu apparaître dans la porte vitrée de la maison. Je l'ai vu passer au travers de la porte close et s'étendre sur le tapis.» Même la mère de Reeves fut témoin de cette apparition. Mais ni l'un ni l'autre ne le revirent.

Dans *More ESP For The Millions* (Los Angeles, 1969), Susy Smith raconte l'histoire de Sam, «le chat siamois à la frimousse la plus mignonne jamais vue», selon sa maîtresse, Mme James Merrick, de Miami, Floride. Sam aimait qu'on s'occupe de lui, ce qui explique peut-être pourquoi il resta dans le voisinage de la maison, même après sa mort survenue en 1965, à l'âge de sept ans. Un soir, environ deux semaines après le décès de l'animal, Jane Merrick vit le fantôme du chat. Pendant qu'elle préparait le dîner, elle se retourna et vit Sam derrière elle. Elle fit machinalement un pas de côté, pour l'éviter, tout comme elle le faisait souvent dans le passé. Tout à coup, elle se souvint que Sam était mort. Au même moment, l'animal disparut, «juste comme ça!», dit-elle en claquant des doigts.

Mme Merrick se souvient que l'apparition du chat — la plus longue et la plus réaliste — survint deux semaines plus tard, à un moment où, occupée près de l'évier, elle tourna la tête. «Je l'ai vu faire le tour d'une chaise du salon et sauter dessus», raconte-t-elle. Je ne pouvais voir que sa forme; sa figure n'étant pas claire, je le reconnus à sa démarche de tigre. A sa couleur aussi. Je suis restée là, ne sachant que faire. Et soudain, il disparut.

Mlle Smith rapporte le cas d'un autre chat fantôme, celui de Mme Chérie Hughes. «Quand j'étais petite, j'avais une charmante chatte de Perse au poil argenté, nommée Mimi. Elle vécut jusqu'à l'âge respectable de dix-neuf ans. Elle aimait monter et descendre rapidement les marches de l'escalier, probablement pour prendre de l'exercice. Même morte, la chatte continue de nous rendre visite. Comme autrefois, elle court dans l'escalier et partout dans la maison. Parfois, c'est moi qui la voit; parfois, c'est mon fils. John explique: «Oops, voilà encore la chatte!» Même leur chien, un petit caniche gris nommé Panache, voit la chatte Mimi. Il s'agite un peu mais ne fait rien... sauf japper.»

Ces histoires laissent supposer qu'après mort, les animaux continuent, pour un certain temps, de vivre là où ils vivaient de leur vivant et de suivre leur petit train de vie. Le livre de Nina Epton, *Cat Manners and Mysteries,* fait état de nombreux chats revenus du royaume des morts, et de leurs maîtres qui affirment les avoir vus dans des décors familiers. On peut aussi lire, dans *Modern People,* du 6 juin 1976, que la chatte de Mlle D. Cullen, endormie pour cause de maladie, réapparut en plusieurs occasions.

«Tôt le matin, elle vint dans ma chambre et je la vis clairement, je l'entendis plusieurs soirs sauter sur sa chaise pour boire de l'eau.» Mlle Cullen sentit plusieurs fois sa chatte se placer la tête sur son bras, de la manière habituelle.

Madame L. Justice, de Loves Park, Illinois, fut, dans son enfance, adoptée par des étrangers qui lui manifestèrent peu de tendresse. Heureusement, dit-elle qu'il y avait Jipsey, le chien du voisin — ou plutôt une petite chienne, sans pedigree, et au poil long. «Jipsey et moi, raconte-elle dans *The Star,* nous nous amusions toujours ensemble. Un jour, Jipsey était là au moment où je sortis de la maison pour jouer. Comme d'habitude, elle sauta et agita sa queue. Je ne pus l'attraper. Elle courait en avant ou derrière moi, mais je ne pouvais la saisir avec mes mains.» Ce soir-là, Mme Justice en parla à la table, à l'heure du dîner, mais personne ne la crut. Finalement, on lui dit qu'il était impossible qu'elle ait pu jouer avec la petite chienne; la veille, elle s'était fait tuer par une voiture. L'enfant apprit que Jipsey avait été enterrée dans la cour du voisin à un endroit marqué d'un rosier. «Je courus à l'endroit désigné, écrit-elle, et je vis Jipsey agitant joyeusement la queue. Quand je me suis penchée pour la flatter, elle disparut et je ne la revis jamais.»

Certains prétendent qu'après la mort, les animaux sont entendus aussi souvent qu'ils sont vus. Dans son livre *The Psychic Power of Animals* (New York 1976), Bill Schul raconte comment son chien, Phagen, annonça sa propre mort en aboyant. «C'était tard dans la nuit, je dormais profondément, et je fus réveillé par les aboiements persistants de Phagen. Comme il ne cessait d'aboyer, je me levai, enfilai ma robe de chambre et mes pantoufles et je me rendis à sa niche. Je ne le vis pas dehors. A l'aide de ma lampe de poche, je regardai dans la niche. Je vis Phagen, allongé. Il avait dû mourir plusieurs heures auparavant, puisqu'il était en état de rigor mortis.»

Les deux nuits suivantes, exactement à la même heure que la nuit de sa mort, Phagen aboya. Durant deux nuits, Bill Schul sortit. La première nuit, il ne vit rien sauf une niche vide. La deuxième nuit, arrivé près de la niche éclairée par la pâle lueur de la lune en déclin, il vit son chien, là, comme s'il attendait. A l'approche de son maître, le chien remua la queue, mais quand Schul se pencha pour le toucher, il avait disparu. Schul ajouta: «Il n'aboya plus jamais. Nous disait-il adieu? Etait-il venu ce soir-là pour un dernier au revoir? Etait-ce moi qui trébuchais dans mes rêves pour plonger tout droit dans des hallucinations? Peut-être, mais chose étrange, mon voisin, ignorant encore la mort de mon chien, me demanda, au lendemain de ma dernière expérience, si quelque chose n'allait pas, vu que Phagen avait tellement aboyé la nuit précédente.»

Noëlla Fojut, de Tucson, Arizona, vit sa chatte siamoise un mois après sa mort en 1975. Par une soirée venteuse, Mme Fojut regarda par la fenêtre et aperçut dans la cour sa chatte Mummy, morte récemment. Mme Fojut ne pouvait pas confondre Mummy avec ses deux autres chats à cause de la couleur de son poil. D'ailleurs, ses deux autres chats dormaient paisiblement dans un autre coin du jardin.

Une autre fois, Noëlla eut une expérience semblable. Au moment d'entrer dans la maison d'une amie, elle sentit un petit chien lui passer entre les jambes pour se diriger vers la porte. Un bon moment plus tard, elle se souvint que ce chien était mort depuis plusieurs mois.

Certains animaux décédés ont diverses façons de révéler leur existence. Ronnie, un épagneul âgé de douze ans, presque sourd et aveugle, dut se faire opérer. Dans «Psychic Contact with Animals» *(Exploring the Unknown* octobre 1969), Elaine V. Worrel raconte que le 4 juillet 1960, elle était assise dans la cuisine, attendant l'appel téléphonique du vétérinaire qui lui apprendrait si son chien avait survécu à l'opération. «Vers neuf heures, j'entendis le tintement des médailles de Ronnie, ainsi que le bruit de ses ergots sur le plancher de la véranda. Machinalement je tins la porte ouverte pour le laisser entrer, quand, tout à coup, je me souvins que Ronnie était chez le vétérinaire. Tout en tenant la porte ouverte, je me suis mise à pleurer.» Elle comprit que son vieil ami venait de mourir. Le bruit persista comme si le chien s'approchait d'elle. Elle cessa de pleurer. Ronnie, crut-elle, venait la rassurer.

Un vendredi, rentrant de son travail, une voisine, Janet Mounce, entra prendre une tasse de café. «Ronnie est-il rentré sain et sauf mardi matin, Elaine? demanda-t-elle. J'étais en retard, autrement je l'aurais fait monter dans ma voiture pour le ramener, comme je le fais chaque fois que je le vois errer dans la rue. Pauvre vieux, il était rendu trop loin. J'ai dit une prière pour qu'il rentre à la maison avant l'arrivée de l'autobus d'écoliers.»

«Tu ne l'as pas vu, Janet, reprit Mme Worrel.»
Son tempérament texan refit surface. «Veux-tu me

dire que je ne connais pas Ronnie, moi qui suis sa voisine depuis cinq ans!» répliqua-t-elle.

Même après avoir appris la mort du chien, ce matin-là, Janet refusa de croire qu'elle ne l'avait pas vu en chair et en os, jusqu'à l'arrivée des enfants qui lui dirent la même chose.

On entend même des gens raconter des histoires d'animaux morts qui auraient sauvé la vie de leurs maîtres. Le *National Enquirer* du 7 janvier 1973 en publia une particulièrement intéressante, écrite par Nicole Lieberman, sous le titre de «Norma et Tom Kresgal doivent leur vie aux aboiements de leur défunt chien collie». Corky, fidèle compagnon de Madame Kresgal durant sept ans, était facilement identifiable par l'étrange bruit qu'il faisait en aboyant, conséquence d'une blessure qu'il avait subie aux cordes vocales, lors d'un accident de chasse. Il mourut en 1953. Deux ans plus tard, les Kresgal déménagèrent à New York où ils habitèrent l'étage supérieur d'une maison de deux logis dans le quartier Queens.

«Nous étions installés dans cet appartement depuis deux mois, raconta Norma. Une nuit, je fus éveillée subitement par un bruit étrange. C'était l'aboiement rauque de Corky. Je crus que je rêvais et je m'apprêtai à dormir de nouveau, quand je l'entendis une autre fois.»

Elle se leva afin de vérifier si un autre chien aboyant comme Corky n'était pas entré dans la maison. Mais quand elle ouvrit la porte de la chambre, elle fut repoussée par de gros nuages de fumée. Elle réveilla son mari, ainsi que le propriétaire, et ils réussirent tous à s'échapper avant que la maison ne devienne la proie des flammes. Elle en pleura de gratitude et remercia Dieu d'avoir permis à Corky de donner l'alerte avant qu'il ne fût trop tard.

Les aboiements d'un défunt chien firent prendre la fuite à un voleur qui s'était introduit dans l'appartement de Madame Lowanda Cady, de Wichita, au Kansas. Une nuit, Jock aboya au point de réveiller sa maîtresse. A son réveil, Mme Cady entendit, dans les chambres d'en bas, le pas d'un homme pressé et les aboiements du chien. A l'examen des lieux, Mme Cady découvrit que le visiteur avait pillé le réfrigérateur. Elle voulut remercier le chien, mais elle se rappela tout à coup que l'animal était mort depuis trois mois. Quelle a pu être la réaction du voleur poursuivi par un chien invisible? Peut-être a-t-il vu le chien aussi bien qu'il l'a entendu?

D'autres types d'animaux se sont également manifestés, non seulement comme fantômes, mais aussi par l'entremise des «visiteurs du domaine des esprits». Harriet M. Shelton, auteur de l'ouvrage *Abraham Lincoln Returns* (New York, 1957), dit avoir vu un lion au cours d'une expérience extra-corporelle au moment où elle voyageait dans ce qu'elle appela un «plan astral». Elle demanda au «guide» qui conduisait le «voyage» si elle devait craindre l'animal. Au même moment, le lion s'approcha d'elle et se frôla la tête contre ses jambes, comme l'aurait fait un bon gros chat.

Chose étrange, au moment de cette apparition, un chien vivant entra dans la pièce et s'assit aux pieds de Mme Shelton. Apparemment, le chien se trouva dans l'aire d'influence de Mme Shelton, car il se mit à sauter et à courir en aboyant hors de la pièce.

Un ami de Bill Schul affirme avoir vu son chien au cours d'une expérience de décorporation. «En une occasion, dit-il, j'ai vu clairement Ben, mon vieux collie, décédé plusieurs mois auparavant. Il était fou de joie, agitait la queue et sautait sur moi. Je l'ai flatté et je lui ai parlé. Je n'ai jamais douté de la réalité de cette expérience.»

Susy Smith raconte dans *Confessions of a Psychic,* New York, 1971, un incident remarquablement semblable. Il s'agit de son minuscule teckel, nommé Junior, mort six mois plus tôt. A l'automne de 1973, Mlle Smith se trouvait dans un hôtel de Londres. Ce matin-là elle s'éveilla tôt, mais continua de sommeiller légèrement. «Soudain, affirme-t-elle, j'étais avec Junior. Mon chien me vit, dressa les oreilles et sauta sur moi avec son affection habituelle. Je le tins dans mes bras, amoureusement, lui donnant ainsi l'occasion de témoigner sa joie de me revoir. Finalement, je me demandai ce qui se passait.» «Je le déclare solennellement, ce n'était pas un rêve.» La conclusion tirée par Mlle Smith veut qu'au moment de sa rencontre avec son chien, elle ait été en état de décorporation dans un espace d'une autre dimension.

L'aventure de Mme Shelton avec le lion nous force à nous rendre compte de la possibilité de «rencontrer» des animaux décédés, autres que des chiens et des chats. On a vu et entendu des oiseaux, de même que d'autres petits animaux de compagnie. On peut lire dans *Une voyante témoigne* (Paris, 1966), de Simone Saint-Clair, que le médium parisien Hélène Bouvier vit une fois un cheval. «Le cheval était très content, appuyant sa grosse tête sur la poitrine de son maître, qui lui dit: «S'il te plaît, dis à mon cousin que je suis très heureux ici! J'ai retrouvé mon cheval que j'aimais tant. Je n'oublie pas mes amis, mais je ne regrette pas d'avoir quitté la terre.»

Les invités avaient tous été impressionnés par cette évidence. «C'est extraordinaire, dit le cousin, je ne croyais pas la chose possible. Pour ma part, je ne croyais pas en la survie des animaux. Mon cousin, comme vous savez, est mort de tristesse après la mort de son cheval!»

Le bagage d'évidences sur la survie des animaux après la mort s'est beaucoup enrichi grâce aux contributions des médiums. Ils ont non seulement fait passer en séances des animaux reconnus par les participants, ils ont été eux-mêmes sujets d'expériences significatives au royaume des esprits.

Gladys Osborne Leonard, la voyante britannique, morte en 1968, écrit dans son livre *My Life in Two Worlds*

(Londres 1931): «Un animal que vous avez aimé et qui vous a aimé, que ce soit un cheval, un chat, un chien ou un oiseau, va ordinairement à la troisième sphère où quelqu'un prend soin de lui et où il vit la vie d'un animal normal... même qu'il vous visite à l'occasion pendant que vous êtes encore sur terre. Je sais que vous rencontrerez vos toutous, ces compagnons que vous avez aimés. J'ai «vu» mes propres chats, ainsi qu'un chien, un pékinois, auquel mon mari et moi tenions beaucoup. On dirait que les animaux que nous aimons et qui nous aiment ont droit à une vie spirituelle dans l'au-delà, comme nous. Je ne saurais dire si leur vie «post-physique» continue indéfiniment, j'en doute. C'est-à-dire que je doute de leur perdurabilité sous forme animale. Mais ils vivent certainement pendant un temps considérable, sous la forme que nous les avons aimés et connus. Dieu merci, ils continueront de vivre avec nous après notre mort.»

Au début de ce livre, j'ai raconté mes visites chez feu Frank Decker, le médium controversé dont les séances recélaient des phénomènes physiques étonnants. Là, tous les jeudis, je rencontrais un couple qui venait visiter «en esprit» son défunt chien bien-aimé. Dans la pièce obscure, une forme animale sautait sur les genoux du couple, courait entre les chaises et jappait joyeusement. Tout ce que je peux dire, c'est ceci: j'étais là; j'ai tout entendu!»

11

Un nouveau départ
pour le docteur Rhine

Dans la neuvième décennie de sa vie, le docteur J.B. Rhine, l'homme qui transforma les perceptions extra-sensorielles en un concept populaire à l'échelle mondiale, propose une attitude nouvelle envers la recherche scientifique sur la vie après la mort.

Il y a quarante ans, à l'époque où Rhine cessa ses travaux sur ce problème, cet arrêt tenait davantage de l'interruption momentanée que du point final. Même à notre époque où pullulent comités et ordinateurs, des hommes, souvent de simples individus, font des découvertes scientifiques. Le docteur Jonas Salk nous a donné le vaccin antipolio et le docteur Christian Bernard s'est singularisé par la greffe du coeur.

La carrière de Rhine, surtout à l'époque de ses jeunes années, nous révèle la raison de l'intérêt indéfectible qu'il eut toute sa vie pour la survie de l'être après la mort corporelle. Dès ses débuts au collège, le jeune Joseph Banks Rhine voulait devenir pasteur. S'il abandonna plus tard la carrière ecclésiastique, doutant des solutions proposées par les religions traditionnelles, il reconnut souvent l'importance vitale de la religion. Plus tard, il trouva des suggestions d'évidence aux anciennes bases théologiques qu'il avait rejetées. Aujourd'hui, devant des adeptes de diverses confessions religieuses, il affirme que la parapsychologie est scientifiquement prête à expliquer plusieurs concepts religieux, notamment les modes de communication. La prière repose sur la télépathie, la révélation sur la clairvoyance, les miracles physiques et les guérisons sont des actes psychokinésiques et la prophétie, de la précognition. La «perdurabilité» de la vie est un concept judéochrétien et, comme tel, partagé par l'Islam. Partout sur la terre, dans toutes les religions, mais sous différentes formes, on rencontre la croyance en la réalité d'une vie humaine au-delà de la mort.

La réincarnation en est un exemple. S'adressant particulièrement aux tenants des religions occidentales, Rhine déclare que «par sa manière d'étudier de nombreuses croyances religieuses, la parapsychologie a ouvert une porte scientifique. L'approche peut être très soucieuse des idées préconçues de chacun. Elle peut trouver sa motivation dans son désir de découvrir une réponse objective.» Selon Rhine, la parapsychologie est prête à se lancer dans l'investigation scientifique des principaux concepts religieux, telle la vie après la mort.

Comme on le voit, Rhine amorça sa carrière par des travaux sur la vie après la mort, mais dix ans plus tard, il se trouva dans une impasse. Durant ses premières années au collège, il trouva les arts ecclésiastiques trop limités pour apporter une connaissance plus approfondie de l'existence et des valeurs humaines. A l'exemple de nombreux chercheurs en parapsychologie qui, plus tard dans leur vie, se tournent vers des sujets moins chargés d'émotion, Rhine éprouva sa première fascination sur le sujet qu'il abandonna plus tard: les médiums réputés capables de mettre en contact les vivants et les morts.

Après une année d'étude à la *Ohio Northern University* et un semestre au collège de Wooster, Rhine mit un terme à ses études prépastorales, se dirigea vers les sciences pour ensuite s'évader en pleine nature, en acceptant un poste de garde-forestier. Bien qu'il se fût enrôlé dans la *U.S. Marine Corps,* en 1917, il fit des projets pour entrer à la *Michigan School of Forestry,* une fois licencié des *Marines.* En 1920, il épousa Louisa Ella Weckesser, de Chicago. Dans le but d'acquérir une solide formation en sciences forestières, les deux époux s'inscrivirent en biologie à l'Université de Chicago. Aujourd'hui, ils vivent encore dans la région boisée qui avoisine Durham, en Caroline du Nord.

Armés d'un impressionnant bagage en biologie et en sciences forestières, éprouvant pour la nature un amour intense qui les incitait à approfondir les grands cycles de la vie — semence, croissance, continuité, phénomènes qui suscitent des questions sur l'origine, le destin et l'immortalité — les jeunes époux se sentaient prêts à affronter l'étude de l'humain. Tout au cours de leur existence, le couple a gardé une intense curiosité envers toute forme de vie, aussi bien pour les plantes, les animaux et les êtres humains. Ces qualités, sans aucun doute, les aidèrent à explorer les aptitudes de l'homme au-delà de lui-même.

Durant leurs études, dans le but de décrocher un «degré» en physiologie des plantes, les Rhine entrèrent de bon pied dans la recherche psychique. Ils passèrent un an au *Boyce Thompson Institute,* à Yonkers, New York. Au cours des deux années qui suivirent, ils enseignèrent à la *West Virgina University.* A ce moment-là, ils durent prendre une décision capitale: passer du domaine reconnu de la biologie à celui pour le moins incertain de la «parapsychologie» équivalait à se couper des fonctions universitaires. Ils s'engageaient dans une intéressante avenue scientifique, mais cette science n'avait pas de prestige et elle était moins susceptible de leur apporter les récompenses que procurent les disciplines académiques orthodoxes. Le professeur William McDougall, FRS, contribua — plus que toute autre personne — à réorienter la jeune carrière des Rhine. Pionnier incontesté de la psychologie, McDougall était passé d'Oxford à Harvard, en 1920, et de là à l'Université Duke, à Durham, en 1927. De l'aveu de Rhine, le livre de McDougall, *Body and Mind,* publié en 1911, exerça une influence décisive sur la bonne marche de leur recherche psychique. Dans ce livre, McDougall avait émis l'opinion que si les recherches britanniques n'avaient pu prouver l'existence d'une vie après la mort, «elles avaient présenté des phénomènes incompatibles avec la théorie mécanistique». McDougall voulait dire par là la *télépathie* et la *médiumnité.* A la lecture de ce livre, les Rhine furent heureux de découvrir que le «grand homme» avait lui aussi consacré plusieurs années de sa vie à l'étude d'un sujet qui leur apparaissait capital.

J.B. Rhine livra plusieurs batailles dans sa vie et les gagna presque toutes. Il peut être subtil, rusé, dur et persévérant. Il s'est fait de nombreux ennemis, mais personne ne peut lui reprocher de ne pas témoigner une touchante gratitude, mêlée d'humilité, par ses rappels constants de l'appui qu'il a reçu de McDougall, au moment où les Rhine cherchaient un champ d'exploration libre de préjugés et d'attitudes rigides. Rhine s'exprime comme suit: «Ainsi que la religion, la science avait elle aussi perdu de son autorité, parce que les professeurs de biologie manquaient d'objectivité dans leur critique des mécanismes et, d'autre part, parce que les psychologues manifestaient trop d'hostilité envers toute suggestion de dualisme. Toutefois, nous sommes reconnaissants aux deux professions qui nous ont appris à ne chercher nos réponses que dans des méthodes expérimentales objectives. Le fait que ces deux professions, comme toutes les autres, ne voulaient pas avoir partie liée avec la recherche psychique ne nous a pas rebutés. Aujourd'hui, nous sommes en position d'apprécier la chance d'avoir acquis le respect de la méthode scientifique et, conséquence de nos antécédents religieux, de savoir cultiver une curiosité insatiable face à la vraie nature humaine.»

J.B. et Louisa Rhine étaient fermement attirés vers la religion, jusqu'au jour où, par le biais du collège, ils furent mis en contact avec les sciences. Dès ce moment, ils en vinrent à la conclusion que le «supernaturalisme» était logiquement inacceptable. La recherche psychique leur offrait un pont capable de relier la science et la religion. Ils consultèrent les rapports de la *Society for Psychical Research,* de Londres, et les trouvèrent intéressants. L'hypothèse d'une communication possible entre «le monde des esprits et celui des vivants» annonçait la «preuve d'une vie après la mort». Ils furent saisis d'admiration pour l'effort de tant de chercheurs, effort qu'aucune religion n'avait tenté. Et les Rhine virent là la chance de vérifier scientifiquement la doctrine fondamentale de la religion, de la perdurabilité de l'âme humaine après la mort.

Etablir cette preuve signifiait, pour le jeune couple, le coup de grâce à la théorie matérialiste. Plutôt qu'un acte de foi, les Rhine firent donc de la survie de l'âme une question de vérité scientifique. Ils étaient d'ailleurs parfaitement informés des principales critiques concernant cette matière. Rhine consulta le psychologue du Wisconsin, le docteur Joseph Jastrow, auteur de *Fact and Fable in Psychology,* ouvrage très critique de la recherche psychique, que Rhine avait lu. Mais le coup de chance des Rhine fut de passer un an chez le docteur Walter Franklin Prince, à la *Boston Society for Psychic Research.*

Dans ce champ de travail, Price avait la réputation d'être non seulement un critique mais un initiateur. A l'époque, le champ était miné, mais le vigilant Prince apprit aux Rhine à franchir les étapes avec prudence. A

Boston, le flamboyant et populaire médium «Margery», femme du médecin et chirurgien, Le Roi Goddard Crandon, récoltait une publicité nationale. Les Rhine se souviennent d'avoir été davantage repoussés par les prétentions contradictoires qu'attirés par le grain de vérité, qui sortaient, parfois, des séances de Margery Crandon, de même que par différents phénomènes physiques venus, affirmait-on, d'outre-tombe.

Un an plus tard, désenchantés, les Rhine quittèrent Boston. Le travail que leur proposait le professeur Mc-Dougall, à Durham, leur paraissait plus prometteur. En 1927, McDougall avait fondé un département de Psychologie à l'Université Duke. Dès leur installation, les Rhine s'employèrent à déchiffrer les fiches sténographiques obtenues de divers médiums, un travail qui n'avait rien à voir avec la routine. Un éducateur de Detroit, John F. Thomas, avait envoyé — à chacun des médiums — des sténographes porteurs d'objets. C'était là un nouveau genre de «séances» et ce qui devait être le plan de recherche d'un semestre devint la carrière de toute une vie. Le docteur J.B. Rhine se joignit à l'équipe de Duke, enseigna d'abord la philosophie et la psychologie, et finalement se borna à la psychologie. Cet horaire lui permettait de consacrer plus de temps à la recherche psychique qui, à l'époque, se limitait à des incursions médiumniques dans l'après-vie.

Ce que les médiums «sentaient» des objets qui leur étaient présentés ne pouvait pas venir de leurs sens. «Il semble, expliqua Rhine, que quelque chose dépassant leurs aptitudes connues ait été révélé.» Mais d'où venait cette connaissance? Des esprits? D'entités désincarnées? Ou bien directement des objets soumis à l'examen des médiums? Sans contredit, ce n'était pas là la bonne façon de prouver la perdurabilité de la personnalité humaine après la mort.

Encore une fois, si la connaissance ne venait pas des esprits, d'où venait-elle? Même au siècle dernier, des chercheurs avaient apporté d'autres explications. Fort de l'appui de McDougall, Rhine monta un laboratoire en parapsychologie. Il se rappelle avoir conduit, avec des succès modestes, des expériences de télépathie et de clairvoyance, réussissant à mettre au point des méthodes de contrôle aussi rigides... que les conditions de l'époque le permettaient.

Cependant, les craintes que Rhine entretenait, au sujet de la médiumnité, furent corroborées quand, en 1934, il entreprit, avec le concours de Madame Eileen J. Garrett, une série de tests sur les perceptions extrasensorielles. Sous le titre de «Telepathy and Clairvoyance in the Normal and Trance States of a Medium» *(Character and Personality,* décembre 1934), Rhine publia un compte rendu détaillé de ses expériences. Encore aujourd'hui, cette étude constitue un point de repère en matière d'études psychologiques. En résumé, Rhine découvrit que les pouvoirs extra-sensoriels de Madame Garrett étaient sensiblement les mêmes, éveillée ou en transe, c'est-à-dire sous l'influence des esprits. Ceci dit, Rhine s'empressa de préciser, en conclusion de ce document devenu un classique, que «remettre à plus tard toute considération sur l'hypothèse d'une vie après la mort ne signifiait pas qu'il fallait rejeter ladite hypothèse».

Avec la collaboration de Madame Garrett, Rhine sépara d'une ligne de démarcation très nette les expériences faites sur la médiumnité... et les expériences précédentes. Bien que ce domaine de recherche ait été, pendant quarante ans, sous la conduite de chercheurs sérieux et compétents, il croyait que la méthode faussement appelée «approche directe» était un échec. «Ou bien le problème nous dépasse, expliquait-il, ou bien nous utilisons des méthodes inappropriées.» Finalement, Rhine mit de côté l'étude de l'après-vie pour se consacrer uniquement à l'étude des perceptions extra-sensorielles et de la psychokinésie. Toutefois, l'idée de la survie de l'être à la mort ne quitta pas l'esprit du couple Rhine. Cette idée était à l'origine de leur carrière, «principalement parce qu'elle présuppose la transcendance de la nature humaine». Cette décision leur fermait temporairement le chemin de la médiumnité, mais leur ouvrait toute grande la porte de la recherche en perceptions extra-sensorielles. Au milieu des années 1930-40, le Département de Psychologie de l'Université Duke dut faire face à la rébellion de ceux qui ne voyaient pas l'utilité de la recherche en perceptions extra-sensorielles. La Deuxième Guerre mondiale vint ralentir davantage les travaux en cours sur ce sujet.

Beaucoup de choses se sont produites dans les décennies suivantes. La recherche sur la survie après la mort est restée, pour ainsi dire, «dans le congélateur» si longtemps que peu de gens, de nos jours, se rappellent que les Rhine ont commencé leur carrière dans ce domaine, qu'ils en sont sortis à contrecoeur bien qu'ils continuent d'y croire. A la lecture des travaux courants sur la décorporation, sur l'état d'agonie et autres moyens modernes de recueillir de l'«évidence circonstantielle» sur le sujet de la vie après la mort, je me demande bien où Rhine se situerait aujourd'hui. Dans le journal de l'*American Society for Psychical Research,* édition d'avril 1949, Rhine avait commenté en détail «La question de la survie de l'esprit». Il disait «ne pas comprendre, présentement, ce qu'un esprit peut dire de plus qu'un médium, puisque de toute façon, l'esprit parle, croit-on, par la voix du médium». Il ajoutait: «Les progrès de notre connaissance en perceptions extra-sensorielles et en psychokinésie rendent de plus en plus difficile la tâche de faire la preuve de la survie après la mort.»

«Dans le passé, personne ne fut intellectuellement formé dans le but de planifier des expériences fondamentales qui permettraient de différencier, d'une part l'esprit de sa contre-hypothèse, c'est-à-dire le voyant ou le télépathe.» Mais il établit quelques critères, tels les «phénomènes semblables attribuables aux individus vivants» qui pourraient être partagés avec les non-vivants. Il dit que «parallèlement aux études entreprises sur les apparitions des morts, on doit mener des études, tout aussi sérieuses, sur les apparitions des vivants, y compris, bien sûr, les agonisants, les drogués, les extasiés et autres». Il précise qu'«on pourrait essayer de créer des conditions qui amèneraient les esprits à se manifester sans pour autant que ces manifestations se produisent spontanément». «Nous devons essayer d'atteindre, dans la mesure du possible, les personnalités d'outre-tombe et même de cultiver leur initiative et leur ingéniosité, dans l'hypothèse, bien sûr, que les personnalités d'outre-tombe soient pourvues d'intelligence au sens où nous l'entendons.»

S'inspirant de ses premières expériences et de ses déboires subséquents, Rhine, poussé par une insatiable curiosité concernant la survie de l'être humain, a mis de l'avant des idées de plus en plus avancées. Je crains qu'on ait passé outre trop facilement à ses nombreuses suggestions. Même Rhine en a parlé avec une certaine discrétion sous le titre «Comments» qui coiffe une section rédigée par lui dans *Journal of Parapsychology*. En toute franchise, je ne m'y suis pas attardé jusqu'au jour où on me les montra et qu'on me demanda s'il n'était pas temps de «sortir du congélateur» ces études sur l'après-vie.

Dans la livraison de mars 1975 du *Journal,* Rhine présente un article intitulé: «A New Method for the Post-Mortem Survival Problem». Dans ce texte, il émet l'opinion que cette méthode pourrait permettre la reprise de vieilles études pour en vérifier les résultats, comme ce fut le cas pour la question de la survie après la mort. Il entrevoit des progrès notoires dans les méthodes de travail et l'équipement. Il est maintenant plus facile d'éliminer les éléments indésirés et de repartir à vide. Rhine pense que les travail pourraient permettre l'exploration du côté parapsychique de la vie, de le séparer et de le distinguer du reste. «La créature humaine recèle-t-elle quelque chose d'immortel qu'on puisse finalement mesurer?» demande-t-il.

«Nous devons oublier, poursuit-il, les anciens objectifs tels le rappel des souvenirs et autres attributs personnels, pour nous employer à l'étude de la source même du message médiumnique. Portons une attehtion aux signes d'identité *psi* les plus spécifiques du communicateur hypothétique. Au départ, il faudrait travailler avec des animaux afin de mettre au point des méthodes susceptibles, à long terme, de cerner des états de conscience de plus en plus bas, pour approcher éventuellement la phase terminale de la vie. Ce serait là une version inversée des études récentes sur l'origine de la vie.»

Si dans la méthode avancée par Rhine les éléments *psi* s'estompent en même temps que cessent les fonctions vitales de l'animal, la conclusion serait négative. Si, cependant, les éléments *psi* continuent de se manifester même après la mort corporelle, on serait justifié de pousser la méthode à la limite.

«Evidemment, ajoute Rhine, de tels résultats déclencheraient un nouvel assaut de la science contre l'un des problèmes majeurs de l'histoire. Quels que soient les résultats obtenus sur les animaux, on pourrait appliquer la méthode aux êtres humains, aux malades en phase terminale, par exemple, ou bien, à l'occasion, à des malades anesthésiés ou, mieux encore, à des volontaires bien portants.»

Rhine nous met en garde contre le découragement en nous rappelant le temps qu'il a fallu pour retracer l'origine de la vie, ajoutant que l'étude de l'autre terminus, c'est-à-dire la mort et l'après-vie possible, pourrait être encore plus longue, plus complexe, plus coûteuse et beaucoup plus exigeante. «En dépit de ces difficultés, ajoute-t-il, je crois la méthode capable de nous apporter, avec le temps, une réponse dans un sens ou dans l'autre. La découverte d'un petit signe irréfutable, sûr, de la survie posthume de l'être, démontrant la nature extra-biologique du *psi*, soit sur un animal ou sur un être humain, électrifierait le monde de la parapsychologie, comme aucune découverte ne l'a fait dans le passé».

Le docteur Rhine est d'avis que nous aurions tout à gagner à régler la question fermement, dans un sens ou dans l'autre. «Ce que l'humanité a le plus besoin de savoir, dit-il, c'est quelle est l'origine, la nature et la destinée du principe de vie, dans toute sa plénitude et son potentiel. L'illusion peut être plaisante, mais elle ne se compare en rien à la satisfaction issue de la vérité; même pour le monde matérialiste moderne.»

En conclusion, Rhine livre ces pensées: «Nous sommes encore tellement ignorants de ce que sont la vie et l'esprit ainsi que leur origine et leur fonctionnement, que je crains de ne pouvoir rencontrer une seule personne capable d'avancer même une approximation ou une supposition rationnelle sur la grande, universelle et ultime vérité. Il semble présentement impossible à l'être humain de savoir si un jour la science lui révélera les secrets de l'au-delà, et si oui, quand? A tout prendre, ce qui importe le plus de nos jours, c'est de préserver fidèlement le privilège sans pareil d'explorer la question au meilleur de nos possibilités, avec intelligence et responsabilité, parallèlement à l'étude des autres grandes inconnues de la nature et de l'être humain, poussant la curiosité à la limite des moyens mis à la disposition de la science.»

12

Je vous présente le docteur Crookall

Je vous invite à rencontrer le docteur Robert R. Crookall, un homme à qui sont grandement redevables tous ceux d'entre nous qui ont cultivé un réel intérêt pour le problème de la vie après la mort. Agé de plus de quatre-vingts ans, il vit retiré dans l'ancienne ville d'eau fashionable de Bath dans le sud-ouest de l'Angleterre. On peut trouver sa maison en circulant dans le labyrinthe de petites rues qui mènent à Landsdown Road Mansions. Mais ne laissez pas le mot «mansions» projeter dans votre mémoire des images des «pompes et circonstances» de la Grande-Bretagne du dix-neuvième siècle. Semblable à l'homme qui l'habite, la maison est tranquille, surchargée de souvenirs; on y trouve une place confortable pour parler ou réfléchir. Cette maison n'est pas sans âge, car elle a connu les changements du vingtième siècle, avec ses commodités et ses inconvénients. De la fenêtre de son étude, le docteur Crookall peut entendre aussi bien les oiseaux chanter que le chien aboyer.

Ce savant est le plus persévérant, le plus invétéré collectionneur d'anamnèses touchant l'après-vie que le monde ait connu. Ses dossiers, probablement les plus complets du monde, portent largement sur ce qu'on appelait autrefois la «projection astrale» mais qu'on appelle maintenant «expérience de décorporation» ou «extracorporelle».

Quand j'ai parlé au docteur Crookall, il avait déjà quatre-vingt-huit ans et rentrait d'un long week-end passé à la campagne où il s'isolait pour terminer un nouveau livre. Sa vie reflète un constant intérêt pour le «voyage astral», intérêt certainement issu de quelque expérience au souvenir indélébile. Mais Crookall préfère parler de ses recherches, des cas qu'il a recueillis et des conclusions qu'il en a tirées.

Les scientifiques, principalement ceux dont la carrière touche aux émotions et aux expériences humaines, sont d'avis que la personnalité joue un rôle important dans l'orientation de la recherche. Abordant ce sujet avec le docteur Crookall, il a mis de côté son flegme britannique pour ressasser des souvenirs inédits.

Octogénaire solide, chauve, mesurant 5 pieds et 8 pouces, il m'apparaît comme un homme qui n'a rien à craindre des critiques possibles de ceux qui trouvent étrange qu'un savant, réputé dans des disciplines aussi terre-à-terre que la géologie et la paléontologie, puisse passer une grande partie de son temps à chasser les fantômes sous une forme ou sous une autre.

Si je regrette quelque chose, avoue Crookall, c'est de n'avoir jamais pu étudier le piano. Son père, un modeste charpentier, ne pouvait priver sa famille pour consacrer de l'argent à des frivolités telle l'étude d'un instrument de musique. Le père de Crookall avait à sa charge quatre enfants, la mère et la soeur de sa femme, ainsi que deux orphelins de son frère. «Evidemment, on ne recevait pas d'aide du gouvernement à l'époque, dit Crookall, ironiquement, mais je n'ai jamais entendu mon père se plaindre.»

L'admiration du docteur Crookall pour son père ne s'est pas arrêtée à la mort de celui-ci, ce qui explique peut-être l'immense fascination de Crookall, fils, pour les choses de l'au-delà. Il se rappelle que trois ans après la mort de son père, il le «vit» qui le regardait. Ce phénomène se produisit entre l'éveil et le sommeil. «C'est raconte Crookall, la meilleure période pour mes expériences de cette nature.» C'est également, selon l'historien-mystique autrichien-suisse Rudolf Steiner — popularisé par le lauréat du prix Nobel, Saul Below, dans son livre *Humboldt's Gift* (New York, 1975) — la période la plus propice aux dialogues avec les morts. Robert Crookall se souvient du regard de son père dirigé vers lui, «regard perçant, porteur d'un message que je compris». Certains psychologues, explique Crookall, tiennent une telle rencontre pour une «image mentale», mais la vision de son père ne ressemblait en rien aux souvenirs que j'avais de lui: «Peu de temps avant de mourir, il était malade, avec un regard usé; quand je l'ai «vu», il semblait dans la force de l'âge, très beau, avec un nez fin et droit. Je ne l'avais jamais vu ainsi; bébé, on l'avait échappé sur le rebord de la cheminée. Depuis, il avait le nez de travers.»

Robert Crookall est né en 1890 dans le Lancaster, en Angleterre. Il étudia la chimie, la botanique, la psychologie et commença sa carrière comme chargé de cours en botanique à l'Université d'Aberdeen en Ecosse. Sa spécialité portait sur les plantes fossiles; en 1924, l'*Institute of Geological Sciences* l'invita dans ses rangs afin de lui faciliter la recherche dans ce domaine particulier. Il collabora à la désignation de nouvelles régions carbonifères. Le dernier de treize rapports sur «The Fossil Plants of the Carboniferous Rocks of Great Britain» parut en 1977.

En dépit de son intérêt pour la géologie, le docteur Crookall prit sa retraite en 1952, trois ans avant l'âge réglementaire, pour se consacrer à la parapsychologie. «Ayant eu diverses expériences psychiques, raconte-t-il, j'étais convaincu que d'autres avaient sous-estimé l'importance de certaines communications ou de certaines expériences de décorporation.» Par «communications», Crookall entend évidemment les messages livrés par de prétendues entités désincarnées par le truchement de médiums ou d'autres canaux.

Peu fortuné, Crookall ne se maria qu'à l'âge de 38 ans. Il consacra une grande partie de sa vie à l'étude d'un sujet qu'il tenait pour crucial. Depuis la mort de sa femme, en 1969, Crookall vit seul. «Je travaille autant qu'autrefois, dit-il, et si ma mémoire est aussi bonne, c'est que je m'intéresse à ce que je vois, que je lis et que ma curiosité reste aussi grande que dans le passé.» Le fils des Crookall est professeur en génie au *Crandield Institute of Technology* à Bedforshire.

Se rappelant le travail du défunt chercheur Hereward Carrington sur les expériences de décorporation de Sylvan Muldoon, Crookall dit que Carrington était certain de l'authenticité des «projections astrales» de Muldoon, bien qu'il n'en ait pas eues lui-même. Crookall ne veut pas faire état de ses expériences personnelles, mais il avoue qu'il travaille sur «des évidences convergeant de sources séparées vers une même conclusion». Il n'a pas obtenu personnellement «de détails très précis», comme ce fut le cas pour Muldoon, Robert Monroe et autres, parce qu'il se trouvait «constitué différemment».

Crookall établit sa position: «Mon but n'est pas de convaincre les gens d'accepter des propositions telles la décorporation et la survie après la mort, mais de les amener à tirer eux-mêmes leurs propres conclusions, et — plus important encore — à vivre en conformité avec leurs opinions. Après tout, notre existence physique doit, pour une large part, déterminer la manière de vivre de notre *autre corps* dans l'au-delà.»

Pour Crookall, «la connaissance impose des responsabilités. Rejeter les responsabilités, c'est s'exposer à en subir les conséquences.» Il croit fermement que les gens «ne devraient pas tenter volontairement de se projeter hors de leur corps». En d'autres mots, il est totalement opposé à ce que n'importe qui se livre à des expériences de décorporation. «Si une telle expérience survient tout naturellement, très bien.» Ici, Crookall est catégorique: «Mais si elle est en quelque sorte forcée, elle peut — et je connais des cas de ce genre — s'emballer. C'est une chose que d'ouvrir une porte sur l'inconnu, mais une tout autre chose que de la fermer.» Il s'oppose particulièrement à l'usage de drogues pour forcer l'expérience. C'est là, dit-il «la plus mauvaise approche possible». Quant à ceux qui pénètrent dans l'inconnu et qui auraient du mal à retrouver leur corps physique, Crookall les compare à des poussins sortis trop tôt de leur coquille: ils sont exposés à tout.

Crookall entreprit ses travaux sur la communication avec les entités désincarnées à la suggestion du philosophe français Henri Bergson (1859-1941) qui fut déjà président de la *Society for Psychical Research* de Londres. Bergson voyait dans ces communications la possibilité d'une preuve plus convaincante que l'accès aux souvenirs terrestres. Il suggérait de les examiner comme si c'était des récits de voyageurs. Crookall consigna le fruit de ses travaux dans son livre *The Supreme Adventure* (Londres, 1975). Le Révérend George Whitby, chargé de cours en méthode scientifique, à deux universités britanniques, dit de ce livre qu'il contient une «base solide» et que cet ouvrage l'a «finalement convaincu» de la réalité d'une vie après la mort.

Le docteur Crookall expose ses vues sur le fait que certains individus subissent des décorporations particulièrement subtiles, tandis que d'autres n'en ont pas. «Ces différences, dit-il, reflètent l'ensemble de leurs conditions corporelles.» «La plupart des gens, poursuit-il, sont dotés de corps vitaux solidement immergés dans leurs corps physiques, mais la majorité d'entre eux ne sont pas moralement ou spirituellement avancés. *Leur âme super-physique* n'est pas constituée en un instrument de connaissance, d'où l'absence de projections satisfaisantes. Le petit nombre de personnes dotées de corps vitaux solides et qui les ont organisés par des sentiments, des pensées ou des actes moraux ou spirituels, ont tendance à ne projeter que l'âme dans le but d'entrevoir le Paradis; mais comme il y a un grand fossé vibratoire entre leur âme immatérielle et leur corps physique, souvent ils se rappellent peu de choses, sauf un inexplicable sentiment de paix; dé plus, ils n'ont pas connu les expériences décrites par ceux qui sont dotés de corps vitaux vagues, qu'ils projettent plus ou moins facilement, surtout s'ils sont malades.»

Le Dr Crookall ajoute: «Quelques personnes ont un corps vital vague, ce qui leur permet de se projeter plus ou moins aisément, particulièrement s'ils sont fatigués, malades, sous l'effet de sédatifs ou d'influences semblables. Comme le corps vital constitue le pont entre l'âme et sa contrepartie physique, le double qui en sort est de nature composite: il consiste (a) en une partie du corps vital qui enveloppe (b) l'âme super-physique. Cependant, presque toujours ce double composite se dépouille de son élément vital — passe à travers la seconde «mort» et l'âme est libérée.»

Crookall n'est pas d'accord avec les psychologues qui désignent les «doubles extra-corporels» comme de simples «images mentales» ou comme le fruit de l'imagination. Il tient pour «inacceptable» le concept proposé par le philosophe-psychologue suisse, le docteur C.G. Jung, selon lequel de tels «doubles» sont des «archétypes». Crookall s'élève contre des interprétations à l'effet que «plusieurs cas de projection dans lesquels le double libéré peut ensuite retourner dans le corps en deux parties distinctes». Il ajoute: «Aucun médecin ni psychologue n'a jamais noté que les images mentales n'apparaissent que pour ensuite disparaître en deux pièces.»

Crookall définit le «double» comme «le corps non physique»... qui est «une réplique, un double physique».

Il emploie le terme «âme» pour décrire quelque chose d'une nature «super-physique», tandis que «le corps vital par lequel l'âme prend contact avec le corps physique est semi-physique». Ces définitions et d'autres sont contenues dans son livre *The Interpretation of Cosmic and Mystical Experiences* (Londres, 1969). Dans ce livre, il écrit également: «La mort physique, crainte par tant de personnes, n'est qu'un incident dans un procédé bien ordonné et bénéfique et n'a besoin que d'être comprise pour être acceptée avec gratitude.»

Crookall appartient à une génération d'hommes qui a transformé en passe-temps agréable l'attention à porter aux tâches essentielles, violon d'Ingres plutôt que vocation. Nous avons vu que son travail principal porte sur la géologie et les mines; ses écrits professionnels parurent dans des publications tels *The Geology Magazine, The Annals of Botany* et les *Proceedings of the Institute of Mining Engineers;* l'un de ses comptes rendus parut dans le périodique *Fuel*.

Le docteur Crookall fait partie d'une espèce disparue: celle du scientifique qui ne permet pas aux méthodes savantes de barrer la route à l'imagination ou la curiosité. Il veut nous éveiller à ce qui se passe en nous et autour de nous; c'est pourquoi il nous demande de nous prendre en main et de penser à nous.

En comparaison, il nous rappelle que, malgré notre présence sur terre pendant des millions d'années, nous n'avons découvert la circulation du sang qu'en 1628. Il y a, à notre sujet, dit Crookall, des phénomènes intérieurs et extérieurs que nous n'avons pas encore saisis, et il est grandement temps que nous nous y arrêtions.

Armé de la diligence d'une volée de pies, Crookall passa des décennies à ramasser des anamnèses de «projections astrales». Il en a assemblé des centaines et les a publiées dans des livres tels *The Study and Practice of Astral Projections, More Astral Projection* et *The Techniques of Astral Projection.* La valeur et le défaut de ce matériel, c'est qu'il varie peu. Une projection astrale ressemble passablement à la suivante — une fois que vous vous êtes familiarisé avec l'idée que votre «âme» ou votre «vous astral» est capable de se séparer de votre corps physique et d'entreprendre de longs et de courts voyages. Un éléphant volant nous ferait tourner la tête, une fois, mais, à la longue, nous nous y ferions. C'est exactement ce qui est arrivé la première fois que l'homme débarqua sur la lune. Nous étions tous devant notre écran de télévision à quatre heures du matin. On mentionna le dernier alunissage au bulletin de six heures et peu de gens y portèrent attention.

J'ai demandé au docteur Crookall si, après avoir recueilli des milliers de cas de décorporation, il n'était pas déçu du peu d'intérêt qu'on y portait. Il dit que non, mais se déclare très heureux de la nouvelle vague de curiosité des Américains envers les phénomènes extra-corporels. Il attira mon attention sur l'opinion émise par lui dans l'un de ses derniers livres, *The Mechanics of Astral Projection* (Moradabad, 1968), selon laquelle «le fait de ne pas savoir qu'on a un deuxième corps ne veut pas dire qu'on n'en a qu'un». Notre ignorance actuelle de ce sujet n'est pas plus significative que ne l'était l'ignorance de nos ancêtres sur la circulation du sang.

A sa propre question: «Quelle importance?», Crookall répond: «Une grande importance! Si un homme peut sortir de son corps physique temporairement et continuer d'exister en tant qu'être conscient de son existence, on pourrait en déduire qu'au moment de quitter pour vrai son corps physique, c'est-à-dire mourir, il continuera d'exister dans ce second corps.»

C'est évidemment là l'argument invoqué par certains chercheurs modernes, comme s'ils venaient tout juste d'y penser! Depuis soixante-dix ans, Crookall réfléchit sur ce sujet; il croit avoir tout entendu. Crookall, un homme bon, ne nie pas la probabilité que certaines de ces histoires à propos de «projection astrale» puissent être fantaisistes, fictives, et quoi encore. Bien des choses arrivent en période de stress. Mais cela ne veut pas dire qu'une quantité d'autres anamnèses ne sont pas «normales». (Il se rend compte de la futilité de discuter du mot «normal» en dehors d'un cadre psycho-médico-philosophique.)

Plongeant, en mémoire, dans sa vaste collection de cas, Crookall se souvient de certaines anamnèses suffisamment bien rapportées pour être tenues pour autre chose que des approximations. Le cas décrit par l'écrivain William Gerhardi, dans son livre *Resurrection* (Londres, 1934), «est peut-être le cas le plus complet et le plus convaincant», avoue Crookall. Ce cas recèle un élément appelé «le cordon d'argent» par Crookall, c'est-à-dire «lien entre le corps physique et le corps non physique». L'expérience de Gerhardi débuta de la façon la plus banale. Il avait allongé le bras pour éteindre une lampe. Mais juste au moment de presser le bouton, il se trouva «suspendu entre ciel et terre». Il était, raconte-t-il, tout à fait éveillé. Il se dit: «Voilà quelque chose à raconter.»

A ce moment-là, Gerhardi se sentit empoigné et mis sur ses pieds. «Si le monde entier s'unissait pour me dire que c'était un songe, je ne le croirais pas, dit Gerhardi, catégorique.» Il poursuit: «J'étais dans le corps de ma résurrection. C'est comme cela que c'était! Tout à fait inattendu! Je me rendis à la porte en chancelant. Je touchai la poignée, mais je ne pus la tourner. Je me tournai et découvris un étrange appendice. Il y avait un rouleau de lumière. Je ressemblais à un lumineux arrosoir de jardin. La face de l'oreiller s'en trouvait illuminée, comme si cette lumière était attachée à la face du dormeur. Le dormeur c'était moi.

«Qui aurait pu me dire que j'avais un corps de rechange à ma disposition, un corps adapté aux nouvelles conditions! Mais je n'étais pas mort; mon corps physique dormait là, paisiblement, au moment où j'étais apparemment sur mes pieds et en aussi bon état qu'auparavant. «Maintenant, comment vais-je sortir?» Je réfléchissais. A cet instant, la porte passa au travers de mon corps, à moins que ce soit mon corps qui soit passé au travers de la porte. Je me trouvai dans le corridor, noir, mais illuminé d'une lumière douce émanant, semblait-il, de mon corps. L'instant suivant, j'étais entré dans ma salle de bains et, comme d'habitude, je fis le geste d'allumer la lumière, mais j'étais incapable de presser le bouton.

Il y avait cet étrange ruban de lumière entre nous, comme le cordon ombilical par lequel le corps étendu sur le lit respirait... «Maintenant, sois scientifique! me dis-je. Tu as là une chance sur un million! Tu dois te convaincre de manière à ce que rien, plus tard, ne te fasse penser que ce n'était qu'un rêve!» Je me dis ces choses tout en me déplaçant et en prenant note d'évidences telles que «la fenêtre est ouverte», «le rideau est tiré», «voilà la nouvelle chaufferette». J'aperçus dans le miroir l'image familière de moi-même.

«Quelle évidence? Quelle autre évidence?» me demandai-je en passant d'une chambre à l'autre. Ici, je notai quelles fenêtres étaient fermées; alors, j'essayai, sans succès, d'ouvrir le placard à serviettes. Après, je regardai l'heure... puis je volai au travers de la porte et je planai dans l'air, me sentant léger de coeur. Maintenant, je pouvais voler vers la destination de mon choix, New York ou ailleurs, visiter un ami si je le voulais, et cela ne prendrait qu'un moment. Mais j'eus peur de couper le lien qui me retenait à mon corps endormi.

Que me fallait-il faire maintenant? «Preuve», me dis-je. Je voulais une «preuve» irréfutable pour me convaincre et convaincre les autres, «après mon retour dans mon corps»... A qui pouvais-je rendre visite? Soudain, j'eus une idée: je vais rendre visite à mon ami Max Fisher, à Hastings. Encore une fois, je volai... Tout à coup, je marchais sur le gazon... Puis, une pensée m'effleura! «Comment sais-je que je ne rêve pas?» Je me répondis: «Regarde le cordon de lumière derrière toi.» Je me retournai et il était là, très fin... Soudain, un sursaut m'ouvrit les yeux. J'étais dans ma chambre. Pas un détail de mon expérience n'avait échappé à mon esprit; cette expérience avait aussi une autre qualité, celle de la réalité qui n'a rien à voir avec les rêves... Nous avons un double corps, tout entier, là, prêt pour l'usage, une copie conforme, ou presque, de notre corps naturel. On aurait dit que, pendant la première étape de la survie, nous avions déjà un corps, emmagasiné comme un costume de plongeur, mais néanmoins bien plié dans nos corps de tous les jours, toujours à portée de la main en cas de mort ou pour un usage spécial... Je me levai et marchai dans les chambres, vérifiant les notes mentales que j'avais prises au sujet des fenêtres ouvertes ou fermées, des rideaux tirés ou pas; dans tous les cas, le tout était conforme.

Gerhardi raisonna comme suit: «Si mon corps de chair a pu projeter cet autre corps plus ténu, pendant que je pouvais garder ma chair allongée, comme dans la mort, alors ce corps plus subtil, adapté à des usages plus subtils d'un autre plan, n'était qu'un costume ou un véhicule bon pour être à son tour rejeté ou remplacé par un autre... Finie la notion de repos éternel dans la mort!... Finie la notion d'une âme en forme de petit nuage laineux! Ce corps jumeau était réel. Il serait peut-être pénible de penser que les «conditions de la vie après la mort» soient différentes de ce qu'elles sont ici-bas; mais la surprise serait peut-être de constater qu'elles sont les mêmes.»

Dans la mesure où l'art imite la vie — et la fiction donne à un événement de la profondeur et du détail — il est utile de citer un passage, relevé également par le Dr Crookall, du livre de Horace Anneleley Vachell, *When Sorrows Come* (Londres, 1935). Ce qui est intrigant dans ce passage, c'est le parrallélisme entre la réaction du protagoniste et celles révélées par le médecin dont les patients, à l'article de la mort, s'opposaient à la réanimation, parce qu'ils s'étaient fait une idée euphorique de la vie d'outre-tombe.

Le roman de Vachell raconte l'histoire de deux personnes, victimes d'un accident de train, Joy et George. Après qu'elle eut repris connaissance, Joy dit à George, son mari: «C'était comme si je m'éloignais de mon corps. Je voyais mon corps et je voulais m'en éloigner. On aurait dit que je flottais.»

Exactement comme dans les expériences modernes de décorporation, Joy se sentit accueillie «de l'autre côté» par sa mère défunte qui la prit en charge. Le récit continue: «J'étais surprise. Je ne pouvais pas entendre sa voix mais je me sentais quand même en sécurité. Je n'avais pas peur. A ce moment, je me souvins de la mort de ma mère. Comme tu le sais, elle est morte de défaillance cardiaque. L'infirmière lui donna de l'oxygène et son coeur se remit à battre. Maman ouvrit les yeux, me sourit et me dit: «Pourquoi m'as-tu ramenée ici?» Elle ne parla plus jamais après cela.»

Le parallèle de ce compte rendu fictif — peut être est-il basé sur un fait vécu raconté â l'auteur — est étonnant et lui donne un ton de modernisme. Dans le roman, Joy continue son récit:

«Le reste de mon rêve fut formidable. La brume se dissipa et je vis trois autres personnes. L'une était Cinthia Barclay (morte peu de temps auparavant). Je m'attendis à ce qu'elle parle. Personne ne parlait dans mon rêve, mais j'ai compris tout ce qu'on voulait me faire savoir. Cynthia était inquiète d'Alex (qui, lui aussi, avait péri dans l'accident du train). Elle me fit de la peine. Je comprenais qu'elle voulait l'aider, mais elle ne le pouvait pas. Je ne ressentis aucune surprise... jusqu'au moment où je vis Harry Bignold. Il apparut terriblement perturbé. Je savais qu'il était mort, mais il n'en savait rien. Un étranger s'occupait de lui, comme ma mère le faisait pour moi. Cynthia était partie. Ma mère me fit comprendre que Harry ne pouvait pas se rendre compte de sa mort. L'homme qui l'accompagnait était Monsieur Tarrant. Je me sentais capable de lire les pensées de M. Tarrant. Il était inquiet de Harry et de M. Dubois (une autre victime de l'accident). Soudain, je me trouvai avec maman. Elle me fit savoir que je devais retourner sur terre. Comment avais-je fait pour me rendre là?»

Fiction ou pas, ce récit ressemble tellement à ceux du Dr Moody et autres sur les expériences modernes de décorporation, qu'on est tenté d'y voir le prototype d'une expérience universelle, libre de toute dimension culturelle et vieille comme l'histoire du monde. Dans le roman de Vachell, George, le mari de Joy, a connu une expérience semblable, celle de sortir de son corps pendant le sommeil. «Il pouvait voir son corps sur le lit et en était heureux. Et soudain, tournant les yeux ailleurs, il vit sa femme Joy.»

A ce point, le récit devient d'une subtilité peu commune même dans les anamnèses de faits vécus. On pourra dire que c'est le talent du romancier qui transparaît; on peut le supposer, on ne peut pas le prouver. Dans sa décorporation, George vit Joy lui sourire: il eut d'abord l'impression qu'elle avait quitté le lit pour monter à l'étage et lui faire une surprise, lui faire voir qu'elle avait recouvré la santé. Elle paraissait si jeune et si heureuse. Elle semblait dire: «Tu es sorti de ton corps, George, et moi aussi. Comme je l'ai fait hier, j'ai dû revenir aujourd'hui pour t'empêcher de croire que ce qui m'est arrivé n'est qu'un rêve. Ce n'était pas un rêve. J'ai quitté mon corps après l'accident. Si tu refuses de le croire, tu seras très malheureux.» Le récit parle de George en ces termes: «La lumière lui vint: il savait que Joy était morte. L'infirmière entra. «Elle est morte!», dit-elle».

Crookall maintient, et je suis de son avis, que cette histoire est plus qu'un simple «artifice littéraire». A la lumière de la connaissance actuelle, il devient évident, comme le suggère Crookall, que Vachell avait puisé dans sa propre mémoire les cas décrits dans son roman. Crookall souligne particulièrement les éléments suivants: la mère, peu enthousiaste à retourner sur terre, situation d'ailleurs rencontrée dans les salles d'opération où il y a eu des cas de décorporation; la communion de sentiments entre vivants et morts, par laquelle les morts partagent «notre peine»; et, finalement, la remarque incroyable de certains morts qui ne se rendent pas compte de leur mort!

Même si la recherche moderne fait appel aux équipes, aux comités et aux assistants, le docteur Crookall n'en amassa pas moins — tout seul et sans aide financière — une collection d'un prix inestimable de cas de décorporation. «J'ai acheté des milliers de livres plutôt que de les emprunter d'une bibliothèque. Ces livres, je n'en ai pas oublié le contenu, comme le font bien d'autres.» Crookall ajoute: «Je n'ai jamais eu de voiture et j'ai dû vendre 3 000 volumes, lors de mon déménagement dans ce logis.» On trouvera, dans ces pages, un échantillon de la collection de Crookall. Il avait imaginé une méthode unique de classification et de référence. «Au fil de la lecture, j'écris moi-même, sur les pages de garde, l'index de chaque volume, explique-t-il. Une fois ce travail terminé, je prépare moi-même mes fiches alphabétiques en deux copies et j'en colle une copie au dos du livre.» Les anamnèses suivantes, répertoriées selon le système de Crookall, sont tirées de son livre *More Astral Projection,* avec la permission bienveillante de l'auteur.

Crookall reçut deux anamnèses de M. Peter

Urquhart, de Rosedale, Toronto, Canada. La première, accompagnée d'une lettre datée du 19 novembre 1961, raconte qu'il se relaxait sur un sofa, lorsque tout se produisit.

«Tout à coup et très doucement, j'ai quitté mon corps. Je me rendais compte que tous les mouvements du corps naturel — respiration, battements du coeur — avaient cessé dans mon corps physique. Mais je n'étais pas du tout effrayé car je me sentais tout à fait en vie. Après un moment, je rentrai dans mon premier corps, mais il m'apparut d'une autre forme — comme si je mettais un autre costume ou un autre chapeau.

«Après, je sortis à l'extérieur et me trouvai encore en dehors de mon corps. Cette fois, je me sentis comme dans un ballon, attaché par une corde quelque part dans la région du nombril, comme si c'était un cordon ombilical. C'était une journée froide de février; mon manteau était ouvert; bien que je sentisse le froid sur mon corps (physique, le froid ne m'atteignait pas (mon double). Cette dernière constatation m'étonna particulièrement car je suis d'ordinaire sensible au froid. Tout au cours de l'expérience, j'éprouvai un sentiment d'allégresse. Finalement, mon tramway arriva et l'expérience prit fin.»

A la réception de cette lettre, Crookall écrivit à Urquhart pour lui souligner l'intérêt qu'il portait à son expression «cordon ombilical». Crookall demanda: «Avez-vous vu ce cordon avant ou après en avoir pris connaissance dans vos lectures ou ailleurs?» Urquhart répondit, le 6 décembre 1961, ce qui suit:

«Je me rends compte de l'importance d'avoir été ou de ne pas avoir été renseigné sur ces matières au moment de subir de telles expériences. En ce qui me touche, je puis dire qu'après la première expérience, j'ai compris les mots de l'Ecclésiaste: «le cordon d'argent». J'avais lu ces fameux vers. Ils étaient restés dans ma mémoire, mais jusqu'au moment de l'expérience, je n'avais pas la moindre idée de leur signification; c'était pour moi une image poétique. Je ne soupçonnais pas qu'il s'agissait d'un lien entre le corps et l'âme et je n'avais aucune idée de cette séparation, jusqu'au jour où je l'ai subie moi-même. Comme vous le savez, ces expériences apportent avec elles leur autorité et leur compréhension; quand je me trouvai hors du corps, je sus que si on détachait le cordon, je serais coupé de la vie physique, c'est-à-dire que je serais mort, comme on dit...

«Avant d'être moi-même sujet à de telles expériences, j'étais sceptique. Je tenais les pensées d'immortalité personnelle pour des «voeux pieux». J'appréciais le contenu de la Bible, mais surtout pour son éthique et la beauté de son langage. Je ne savais absolument pas qu'elle recelait un sens intérieur pratique. Dans mon cas, la théorie vint après la pratique... Je suis d'avis que votre travail — celui d'amasser une grande masse d'évidence dans le but de démontrer la normalité de ces expériences — a une grande valeur.»

,Urquhart décrivit une seconde expérience (cas numéro 371) située cette fois en Angleterre. Voilà son récit:

«A cause du *Earl's Court Motor Show,* on avait transformé en sens unique une route que je traversais chaque jour. Je ne le savais pas et je regardai tout naturellement à ma droite; la route étant libre, je m'engageai en direction du côté opposé — pour me retrouver dans la trajectoire d'un camion!

«Nos réflexes rapides (le mien et celui du chauffeur) permirent d'échapper par deux pouces à l'accident. Le camion m'évita de telle justesse, qu'un policeman planté à quelques pieds de là me cria: «Vous a-t-il frappé, gouverneur?...»

«La partie intéressante de cette affaire se produisit lorsque je me retournai et me vis sous le camion. Aussitôt, je pris conscience de mon deuxième corps; il était contigu au premier et ne le quitta pas, mais je sais qu'il était séparé et indescriptible. Un grand calme m'envahit — l'idée que Peter Urquhart avait été heurté par un camion ne comptait pas. Je savais que je n'avais pu être frappé par le camion. Le temps perdait toute signification; bien que le camion fonçait vers moi, à environ 35 milles à l'heure, il ne bougeait pas vraiment. J'avais tout le temps voulu pour enregistrer tous les détails...

«Je suis persuadé que si j'avais été frappé par le camion, ma conscience ne serait restée que dans mon deuxième corps. Il était vraiment doté d'une sensation de matérialité, peut-être, aussi, d'une substance plus raffinée.

«Me trouvant sur le trottoir, je remarquai un fait inusité. Règle générale, de telles expériences produisent un choc; il y a anxiété, accélération du pouls, à mesure que le corps utilise sa production d'adrénaline, respiration haletante, etc. Mais cette fois, il n'en était rien; mon corps se sentait aussi relaxé que si je m'étais levé d'un fauteuil confortable.

«Beaucoup d'autres expériences m'ont prouvé, à moi personnellement, que nous sommes des créatures à trois dimensions.»

Cas numéro 372 — Mme D.R. Lissmore

Le 4 octobre 1960, Mme Lissmore, de Hatfield, écrivit la lettre suivante: «A l'âge de vingt et un ans (j'étais dans les W.A.A.F.), je m'étais endormie profondément. A une heure du matin, ma voisine de lit rentrait d'une danse. Elle glissa sur le pavé, et au moment de tomber, rabattit violemment son bras sur ma poitrine. Sous le choc, je me sentis très loin. Je pouvais entendre mon corps crier; pas très fort, toutefois, puisque je n'étais pas là pour y donner de la force. Je n'avais pas peur, j'étais trop occupée à reprendre possession de mon corps. Il semble que «je» revins en vitesse à la noirceur. J'ouvris les yeux et arrêtai de crier... Est-ce là l'expérience normale d'une personne éveillée en sursaut, ou doit-on y voir une signification plus profonde?»

On peut comparer ce cas à celui de S. Bedford, relaté dans *The Supreme Adventure,* pages 29-87. Il s'agit d'un garçon qui faillit se noyer: «Au moment de toucher l'eau, j'ai eu la sensation de quitter mon corps...» Un «communicateur» dit à Bedford: «Notre âme-conscience est beaucoup plus avancée que notre corps-conscience. Ainsi, quand la mort est la conséquence d'un accident, l'âme sait ce qui doit arriver une fraction de seconde avant le choc.» Sir Winston Churchill a connu une pareille expérience, lors d'un accident de voiture.

Cas numéro 373 — Renée Haynes
Dans le *Journal of the Society for Psychical Research* (41, 1961, p. 52), Renée Haynes écrit que des pilotes de voitures de course lui ont déclaré qu'au moment de rouler à grande vitesse, ils «se voyaient» au volant, tandis que leur corps physique s'identifiait avec la voiture. Nous avançons donc l'hypothèse que les mouvements rapides et brusques du corps physique ne sont pas suivis par le «double». Il y a décalage. Muldoon (1929) donne des exemples de mouvements brusques susceptibles de libérer le «double»: monter, par exemple, une marche imaginaire.

Cas numéro 374 — Wm. T. Richardson
Dans le *Journal of the Society for Psychical Research* (41, 1961, p. 214), M. Richardson fit une pareille observation au sujet des avions. Il écrit ceci: «La dissociation de l'esprit et du corps physique semble fréquente chez les pilotes, surtout ceux qui volent à grande vitesse, à haute altitude. Cette sensation de «décorporation» semble être un moment de détachement, un regard sur soi-même de l'extérieur; non seulement j'ai connu de telles expériences, mais d'autres pilotes m'ont fait part de sensations semblables, surtout en vols solitaires.»

Cas numéro 375 — Samuel Woolf
Le récit suivant vient de M. Woolf, de Chicago, Ill.,
E.-U. Il est daté du 5 septembre 1961.

«Au cours d'un voyage récent à Denver, j'ai reçu un
exemplaire de votre ouvrage *The Study and Practice of
Astral Projection* que je trouvai très stimulant. J'avais lu,
il y a deux ans, *The Projection of the Astral Body,* de
Muldoon. Dans ce livre, je trouvai la réponse à une
question qui me tracassait depuis plusieurs années.
Auparavant, je ne connaissais rien à l'occultisme et ce
genre de choses. A cause de ma surdité, j'étais isolé partiellement du monde; mais j'essaie de rattraper le temps
perdu.

«En 1932, mes parents et moi sommes allés au
Wisconsin pour quelques jours. Un soir de grande noirceur, nous retournions à notre hôtel, ma mère et moi.
Nous marchions sur le côté gauche de la route. Tout à
coup, une voiture fit une embardée et me heurta à la cuisse
droite. J'eus soudain la sensation d'être labouré par une
locomotive. De mon «double» libéré, je vis mon corps par
terre, tentant désespérément de se lever. Enfin, il se leva.
J'étais à dix pieds, lorsque je (mon double) vis mon propre
corps se lever. Pendant plusieurs années, je me demandai
pourquoi j'avais vu mon propre corps — et j'ai trouvé la
réponse dans le livre.»

Cas numéro 377 — Mme G.W. Dew
Mme Dew, de Ditton Hill, Surbiton, écrivit ce qui suit
dans le journal londonien *Daily Sketch* du 11 octobre
1960:

«Le 4 novembre 1941, mon mari fut grièvement
blessé par des éclats d'obus. Un morceau lui transperça la
jambe droite, un autre se logea dans son poignet et un
autre dans le cou, proche de l'artère principale.

«Il reprit connaissance et dit aux autres comment le
panser.

«Transporté à l'hôpital de la base militaire, il se rappelle avoir flotté environ cinq pieds au-dessus des médecins et des infirmières qui l'opéraient.»

Cas numéro 370 — Mlle Marion Price

Mlle Price écrit: «En août 1957, je me hâtais et je tombai dans un long escalier. En roulant dans l'escalier, je revis rapidement tous les principaux événements de ma vie. Il me sembla y avoir beaucoup de temps et aucune raison de se dépêcher. Il me sembla aussi que quelqu'un ou quelque chose me demandait si je voulais continuer de vivre. Je me rendais compte de ce qui se passait... et répondis un franc «Oui». Ensuite, ce quelqu'un ou quelque chose me dit de nager avec mon bras droit. Du mieux que je pus, je nageai jusqu'au bas de l'escalier, pour m'écraser sur mon côté droit. Je fus ébranlée et le médecin me fit un point de suture sur la tête. Par après, je me mis à penser que si je n'avais pas suivi l'ordre de virer à droite, je serais allée m'écraser la tête sur le mur et je me serais probablement tuée. A la réflexion, ce qui me surprit, c'est la clarté avec laquelle surgirent les images de mon passé, ainsi que la précision de la question et de la réponse durant la courte durée de ma chute.»

Crookall se dit en désaccord avec le docteur Jean Lhermitte, de l'Académie de médecine de Paris, qui publia dans le *British Medical Journal* (1951, pages 431-34) un article intitulé: «Visual Hallucinations of the Self». Le docteur Lhermitte, un neurologue d'une grande expérience créatrice, a publié de nombreux travaux qui portent sur la ligne de démarcation entre les phénomènes paranormaux ou psychiques apparents et les conditions neurologiques propres à l'imitation de ces phénomènes. Ses travaux sur la «possession démoniaque» et la pseudo-possession sont d'un raffinement inégalé. En d'autres mots, Lhermitte fait autorité en la matière. On rencontre dans l'étude de Lhermitte des passages tirés d'écrivains tels Edgar Allan Poe, Fiodor Dostoïevski, Gabriele D'Annunzio, Oscar Wilde,

John Steinbeck, et autres, qui font état de «doubles» qui n'étaient que l'image mentale de corps physiques. Il cite Aristote qui, voyant un homme s'approcher tout à coup, devient lui-même. Lhermitte mentionne des cas tels des dispositifs de fiction conçus pour «stimuler l'imagination du lecteur en lui montrant l'étrangeté de la vie et la complexité de l'esprit humain».

Nous savons tous que les auteurs fabriquent des histoires, mais nous savons aussi que, souvent, ces histoires sont tirées de leur propre expérience. Ceux dont le respect humain les force à ne pas s'attribuer les expériences incroyables dont ils furent les sujets peuvent se sentir libres de les situer dans le domaine de la fantaisie, pour se débarrasser de la pression émotive due à ces expériences. En attribuant l'expérience à un personnage fictif, ils évitent ainsi d'être traités d'irrationnels. Doués pour la narration, les écrivains sont susceptibles de décrire avec plus de détails pertinents des expériences de décorporation, ce que ne sauraient faire des sujets peu instruits et souvent apeurés par ce qui leur est arrivé.

Mais revenons au docteur Crookall, certainement le plus grand chercheur-historien en expériences extra-corporelles. Pour lui, le phénomène le plus important et le plus intéressant connu de l'homme reste celui de la projection astrale. Ne soyez pas trop certain de n'avoir jamais eu d'expérience extra-corporelle. A son avis, l'expérience de la décorporation n'est pas rare; c'est le souvenir qui faillit à la tâche de franchir le soi conscient. Qui sait? Peut-être avez-vous, vous aussi, voyagé dans l'espace et vous ne vous en souvenez pas.

13

Ingo Swann donne son avis

L'artiste new-yorkais Ingo Swann est probablement le sujet qui a fourni le plus grand nombre d'expériences de décorporation. Ses aptitudes ont été vérifiées par l'*American Society for Psychical Research* et la *Stanford Research Institute*. A l'ASPR, Swann fut le cobaye du Dr Gertrude Schmeidler, du Département de psychologie au *City College* de New York, et du Dr Karlis Osis qui dirigeait les études à long terme sur le sujet de la vie après la mort.

Swann est unique sous plusieurs rapports: il allie une carrière artistique à son travail psychique, en même temps qu'il écrit des livres de fiction et autres. Dans le magazine *Theta* de l'été 1976, Jule Eisenbud, M.D., dit que l'ouvrage autobiographique de Swann, *To Kiss Earth Goodbye* (New York, 1975), «place l'auteur au premier rang des sommités psychiques modernes». Swann a rompu avec la longue tradition qui faisait des cobayes des sujets soumis docilement aux méthodes des chercheurs. En de nombreuses occasions, il fit des suggestions pertinentes, prouvant ainsi qu'un voyant intelligent et doué peut ouvrir de nouvelles avenues à la recherche.

L'auteur de ce volume posa les questions suivantes à

Swann; elles sont reproduites ici littéralement, de manière à laisser à M. Swann son entière liberté d'expression.

Etes-vous personnellement, ou en tant que chercheur, concerné par la question de la survie de la personnalité après la mort? Si oui, en quels termes?

Bien sûr que je le suis. Toute personne ne l'est-elle pas? J'ai rencontré très peu de gens détachés du souci de leur destinée éventuelle au moment où la mort tourne autour d'eux. En tant que chercheur, cependant, je ne me suis jamais senti obligé de transposer ce souci dans la recherche. Et celà pour trois raisons: d'abord, je me sens singulièrement mal équipé et mal préparé à affronter l'énorme quantité de travail et de temps requis par une telle entreprise; deuxièmement, il y a présentement de nombreux scientifiques déjà engagés dans l'étude des différents aspects du problème de la vie après la mort; finalement, je crois que toute étude sérieuse de la mort et d'existences posthumes possibles risque de glisser davantage vers la polémique politique que vers une conclusion favorable à la possibilité d'une vie après la mort.

Actuellement, la recherche doit tenir compte des contraintes de l'empirisme. Dans un sens, je ne vois aucune raison de rejeter cette approche qui a donné à l'humanité plus de science dans les cent dernières années que dans les dix mille dernières. Toutefois, la recherche scientifique est gouvernée avec beaucoup de zèle et souvent d'une manière dictatoriale par des rationalistes matérialistes qui tiennent mordicus à l'hypothèse qu'il n'y a rien au-delà des interactions physiques. La question de la survie a donc été souvent tenue pour irrationnelle et indigne de créance.

Le problème le plus important en recherche, c'est l'existence de ce matérialisme rationaliste appuyé sur la notion qu'il n'y a rien au-delà du matériel. La plupart des scientifiques savent maintenant que c'est faux. La mécanique quantique laisse croire que l'exclusion de faits immatériels ne sert pas la science.

Toutefois, la pleine et entière acceptation des interactions immatérielles, au sens psychologique, entraînera la révolution scientifique par excellence. Pour moi, c'est là le plus important des problèmes. C'est un problème formidable. Je vois là une situation sociopolitique où on rencontre des scientifiques puissants, sinon respectés, incapables de plier leur esprit aux implications des phénomènes trans-sensoriels.

Du point de vue de la recherche, j'ai donc exclu de mon travail la question de la survie. Ce n'est là qu'économie de temps et d'effort. Peut-être, dans un avenir indéfini, si je vois une avenue où on peut mener des expériences utiles sans cette perte incommensurable de temps et d'énergies, je réviserai mes positions.

Avez-vous une image de la vie après la mort? Pouvez-vous la décrire? Une personne moyenne peut-elle la comprendre? Votre image ressemble-t-elle à celle des spiritualistes?[1]

D'après moi, tout le monde a une image de la vie après la mort. Même ceux qui le nient ouvertement. Mes observations, qui ne sont d'ailleurs pas très scientifiques, me portent à croire que chacun se tient pour immortel. Cette réalité pénètre tous les êtres humains, à quelque degré de conscience que ce soit. Ceux qui rejettent cette réalité sont sujets à d'étranges phénomènes psychologiques. Je vois, chez les adversaires de l'immortalité, au moins deux états psychologiques associés. Règle générale, ils ont peur d'eux-mêmes en tant qu'êtres immortels. On dirait parfois qu'ils refusent aux autres le droit d'être immortels. Ils doivent donc combattre tout indice d'immortalité. Je ne suis pas le seul à avoir tiré cette conclusion. C'est là une première étape de la guerre psychologique, une sorte de psychodrame insidieux, por-

---

1. En anglais, *spiritism* et *spiritualism* sont synonymes.

teur de symptômes psycho-pathologiques tels qu'en témoigne l'histoire de l'humanité.

Maintenant, je me suis fait, bien sûr, une sorte d'image de la vie, pas une de la vie après la mort, mais une image de la vie englobant la mort. C'est difficile à expliquer. La science n'a pas de définitions suffisantes de ce que sont la vie et la mort. La science du tangible est mal équipée pour définir et la vie et la mort. Le mieux que la science puisse dire c'est que dans un cas, une quantité de matière inanimée s'est assemblée dans un organisme qui s'anime lui-même. C'est ça la vie. La mort survient quand cet organisme cesse d'être animé et se décompose. C'est le mieux que la science du tangible puisse dire de la vie et de la mort. Ici, les matérialistes ont toute ma sympathie.

Quand les scientifiques matérialistes soumettent des parcelles de vie à la pénétration du microscope électronique ou autres instruments du genre, ils sont embarrassés de constater qu'à un certain point la matière animée en devient immatérielle.

A mon avis, la confusion surgit du fait que les savants ne savent pas ce qui meurt quand quelque chose meurt. Selon ma conception, les corps physiques meurent tout simplement, ce qui fait que la mort semble une fonction de la vie. Cela me paraît plus juste que de dire que la vie est une fonction de la mort. Mais c'est là un sujet difficile qui dégénère souvent en diatribe. Cela ressemble à un autre conflit qui fait rage de nos jours dans le monde scientifique. Il y a ceux qui prétendent que la vie est animée par des paramètres électriques et ceux qui prétendent que la vie est animée par des paramètres chimiques.

Je pense que la personne moyenne peut sortir assez facilement de cette impasse en se demandant qui conduit son corps. Je ne crois pas que quelqu'un puisse se méprendre sur les battements de son propre coeur. Les gens se rendent compte facilement du fait qu'ils existent en somme dans des corps qui se meuvent, des corps animés. Si quelqu'un se sent conduit par son corps, cette personne est déjà morte, ou le sera bientôt. J'ai passé au moins quinze ans de ma vie à étudier en profondeur le spiritisme et les spirites. Je crois que seuls les débutants peuvent éprouver de l'enthousiasme pour les résultats du spiritisme. Les spirites ont, je crois, établi l'existence d'autres royaumes au-delà des royaumes physiques connus. Certaines anamnèses sont trop convaincantes pour qu'on doute de leur validité. Mais l'image globale de l'au-delà des spirites apparaît comme un vaste univers où les désincarnés errent tout étonnés de leur condition de désincarnés. Peu d'entre eux semblent vouloir aider le genre humain. En fait, à partir de mes notes colligées depuis de nombreuses années, je prépare lentement un livre pour identifier les maîtres et comparer leurs messages. Et j'avoue vouloir parfois me joindre aux rangs des rationalistes à cause de la confusion des arguments et des philosophies. Seul l'indice que nous pouvons transcender la mort est encourageant.

Vous êtes au courant des premiers efforts déployés pour établir l'immortalité de l'être humain par l'intermédiaire des médiums. Certains scientifiques, tel le Dr Rhine, prétendent qu'il est impossible de prouver la survie de cette façon. Etes-vous de cet avis?

Oui et non. Comme je l'ai dit plus tôt, ce qui importe c'est de savoir quel genre d'indice constitue une «preuve»; non pas la qualité ou la quantité des communications. Quand les exigences scientifiques se seront ajustées, la matière préalablement acquise sera étudiée de nouveau sous un jour plus favorable.

Le «voyant» que vous êtes trouve-t-il une utilité dans les instruments de communication avec les morts tels que la table Ouija ou encore l'écriture automatique?

Je fais peu d'effort pour rejoindre les morts. M'appuyant sur mes longues recherches en méthodologies occultes, je trouve peu de raisons de les recommander à quiconque sauf pour fin d'amusement. Je ne suis pas le seul de cet avis. De très nombreux spirites et occultistes recommandent la prudence en ces matières. Il y a quelque chose de mortel à vouloir communiquer avec les morts. **Avez-vous vous-même rencontré un mort? Si oui, pouvez-vous nous en parler? S'il vous plaît, mettez-y le plus de détails possible, vu que les comptes rendus déjà recueillis sont banals et souvent mal formulés.** Quand ma grand-mère paternelle mourut, au Colorado, j'avais quinze ans. Ma famille vivait en Utah. Ce soir-là, je m'en souviens, on avait vu un magnifique coucher de soleil comme on en voit souvent sur la vallée de Bonneville. Comme je m'apprêtais à rentrer dans la maison, j'entendis, dans le vent, sa voix me disant: «Je viens de mourir dans de grandes douleurs mais c'est maintenant fini!» Jamais, elle n'avait semblé si heureuse. Quand environ une heure plus tard le téléphone sonna pour nous apprendre sa mort, je ne pleurai point. J'étais toutefois très impressionné. Elle était morte d'un cancer d'estomac et je compris pourquoi elle était si heureuse que ce soit fini.

Dans le cas de ma grand-mère maternelle, elle fut placée dans un hospice à cause de sa sénilité. C'était regrettable parce qu'elle avait vécu une vie remplie de bonnes actions. Un soir, dans mon logis new-yorkais, je lavais une assiette de verre qu'elle m'avait donnée. Jamais elle ne m'avait parue si proche. Je lui dis: «Dites quelque chose, grand-mère.» Elle me répondit: «Tu sais, je suis réellement morte.» Alors, je lui dis: «Je le crois, mais donnez-moi un signe.» Quelque chose me frappa la main et la belle assiette de verre s'envola dans les airs pour retomber en mille miettes. Je fus horrifié. Mais je pouvais l'entendre rire. Je crois que cette grand-mère avait quitté son corps longtemps avant sa mort physique. Peu de temps après, un soir que je regardais la télévision, je l'entendis me dire à l'esprit: «Là, je m'en vais réellement.» Je téléphonai à ma mère et lui dis que grand-maman était morte. Elle appela à l'hospice où on lui répondit que ma grand-mère était morte — du moins son corps était mort.

En d'autres occasions, divers fantômes viennent errer dans mon entourage, mais je les incite à passer leur chemin.

Avez-vous dans un «état» ou un autre déjà voyagé au royaume des morts?

Oui et non. D'abord, je ne crois pas en un tel endroit. Le royaume des morts que je connais, c'est celui des cimetières, des corps en décomposition et des cercueils luxueux. Il y a aussi les nécrophiles qui s'attachent aux anciens corps des défunts. Mais au sens psychique du mot, la mort est un état d'esprit. Cet état d'esprit peut être celui d'un être psychique vivant dans un corps ou bien existant temporairement sans corps.

Je crois qu'ici nous devons redéfinir nos prémisses, ce qui ne sera pas facile. Si vous voulez savoir si j'ai déjà visité le royaume des morts, vous devrez me définir ce qu'est le royaume des morts. La réponse serait probablement oui, mais comme je tiens le syndrome mort-vie pour une référence inutile, j'hésite à en dire davantage.

De plus, je pourrais soutenir que si je peux visiter le royaume des morts, je peux aussi visiter le royaume des vivants. C'est là une tâche aussi ardue que de visiter les morts, peut-être davantage. Voir devant ou autour de soi des corps chauds, palpitants, suants ne veut pas dire être en contact avec des entités vivantes. C'est peut-être là seulement une image de ce que veut nous faire voir l'entité vivante. Ce ne serait alors qu'une image, pas l'être vivant lui-même. Un peu d'intuition nous aide parfois à découvrir que les gens ne sont pas nécessairement ce qu'ils semblent être. Bien sûr, le corps physique y est pour beaucoup dans la manière de vivre de l'entité vivante. Quand un corps est là, mourant ou en décomposition, je crois que les images de son être sont quelque peu brouillées. Tout ça est très compliqué. J'essaie de m'en tenir à l'écart, si je peux.

Il y a aussi les anamnèses sur les morts apparents qui, revenus à la vie, racontent leur expérience. Je dois donc conclure que certains mourants maintiennent en bonne condition leurs capacités psychiques et perceptives. Ce doit être, toutefois, la minorité puisque la majorité ne se souvient de rien.

Certains tiennent la décorporation pour une évidence circonstancielle de la survie après la mort. Etes-vous de cet avis?

Oui, évidemment. Je pense, toutefois, que l'expérience devrait être jugée différemment de ce que l'on en déduit généralement. La raison, c'est qu'on ne sait pas si, au départ, l'être est dans le corps ou non. Je crains qu'en général, il n'y soit pas. La décorporation serait alors un déplacement de foyer et de lieu des facultés perceptives. Mais, à tout prendre, les expériences extra-corporelles marquent un pas dans la bonne direction.

J'ai l'impression que vous vous moquez pas mal des diverses catégories telles la décorporation, la clairvoyance, la télépathie, et le reste. Ne croyez-vous pas que ces catégories sont utiles pour distinguer les diverses formes d'expériences extra-sensorielles, du moins dans la mesure du possible?

Ces termes étaient utiles au siècle dernier. De nos jours, l'examen général des aptitudes psychiques va bien au-delà de ces termes. Il est temps de recourir à des mots plus précis. Prenons la clairvoyance, par exemple. Nous ne pouvons pas tout fourrer dans le même mot: la vision psychique d'une cellule nerveuse, de l'intérieur du coeur, d'un cancer du cou, de la maladie dans le corps d'un autre, de la condition d'un champ bioélectrique autour d'une fleur, d'un édifice à 3 000 milles de distance, d'une machine à écrire dans la pièce voisine, d'un dépôt de mazout à 6 000 pieds plus bas, de quelque chose à venir, de quelque chose déjà arrivé, de quelques fantômes, etc. Quelle est alors la contribution d'un terme aussi général?

Il nous faut en premier lieu de nouveaux mots, de nouveaux termes ainsi qu'une redéfinition des expériences extra-sensorielles; ensuite, une mise à jour des résultats de la recherche psychique ainsi qu'une réorientation des directions que cette recherche devrait prendre. Cinq mots démodés sont tout simplement inutiles.

Quelle est votre opinion des expériences faites sur les mourants (Osis, Moody, et autres)?

Mon opinion est excellente. Ces hommes et ces femmes (y compris Kübler-Ross et Roll) sont très courageux et je les tiens en haute considération. Leurs travaux sont les meilleurs qui soient. D'ailleurs ce sont les seuls. Peut-être les choses s'amélioreront-elles à l'avenir. Mais ces chercheurs ont entrepris quelque chose qui aurait dû commencer au début de l'ère scientifique, mais qui, pour une raison inexplicable, ne fut pas entrepris. Après tout, peut-être pas si inexplicable que ça si on retourne à ma référence de la guerre psychique.

A votre avis, vos travaux apportent-ils une contribution à la recherche sur l'après-vie?

D'après moi, tous mes travaux ont été exécutés dans le but de découvrir, développer et comprendre le potentiel perceptif des vivants. Si on y trouve une contribution à la connaissance de l'après-vie, ce n'est là qu'un sous-produit.

Vous souciez-vous, oui ou non, de ce qu'il y ait une vie après la mort, la vôtre ou celle d'un autre?

Je l'ai dit plus tôt, j'estime que la mort est une fonction de l'univers matériel, et que la vie est le fait d'un autre univers qui n'a pas encore été étudié ici-bas. Les lois de la thermodynamique semblent insister sur la conservation de l'énergie à travers le changement. Ainsi en est-il de la vie et de la mort prises au sens matériel. Il y a autre chose, cependant. Et ce n'est que la stupidité qui nous empêche de le comprendre.

La plupart des gens viennent en contact avec cette autre chose; chacun à sa manière; tantôt ils se taisent si la philosophie matérialiste se met de la partie, tantôt ils défient cette dernière. Bien sûr que je me soucie de la vie après la mort, pour moi-même et pour tous ceux qui se sentent enfermés dans l'univers physique, ignorants de leurs capacités trans-physiques.

Si la recherche psychique peut relier différents points du monde physique, peut-elle également passer à d'autres dimensions? Peut-elle atteindre des régions extra-terrestres ou des personnalités comme, par exemple, les morts?

Probablement. Mais, un jour, quand ces réalités seront étalées avec preuves à l'appui, vous ne pourrez peut-être pas poser ces questions de la même manière. La forme générale de l'esprit étant reliée au reste de l'univers, diverses données s'échappent de temps à autre vers la connaissance matérielle. Ne sachant pas, toutefois, comment interpréter ces événements psychiques, nous leur donnons souvent des connotations inusitées.

Vers quoi devrait porter la future recherche dans le domaine «psi»? Comment entrevoyez-vous la recherche sur l'après-vie?

Dans le proche avenir, du moins, les aspects dramatiques, fantastiques et intéressants du *psi* ne seront peut-être pas aussi importants que certains aspects touchant l'attitude de la science au sujet du *psi*. Je crois nécessaire qu'il y ait des déplacements sociologiques et culturels avant que la connaissance du *psi* ne progresse. L'une des situations globales les plus importantes comprend une redéfinition de ce qu'est le *psi*. Cela ne comprend certainement pas seulement la psychokinésie, la clairvoyance et la télépathie. En Europe de l'Est, on a changé le terme *psi* pour «psychotronique», un mot parapluie qui tient l'homme pour un organisme bioélectrique rattaché à un système d'ondes longues, capable de participer aux relations quantiques, capable de penser et de créer, dont la pensée et la créativité peuvent être manipulées, formées et déformées par n'importe quel moyen allant de la mutation génétique au lessivage de cerveau.

Ici, aux Etats-Unis en particulier, nos parapsychologues s'assoient en rond pour ergoter dans le but de savoir si le *psi* en question s'apparente à la télépathie ou à la clairvoyance. Je suis sûr que les parapsychologues américains ont fait de nombreuses percées d'importance, mais en général, leur attitude culturelle n'a pas permis à ces découvertes d'atteindre les sommets voulus dans les schémas généraux de la culture. Je ne saurais trouver les mots pour exprimer mon dégoût et mon désappointement devant les diatribes enfantines que se livrent entre eux, et depuis fort longtemps, les parapsychologues et les scientifiques.

Ce lamentable état de choses en ce qui touche le *psi* peut exister à un tel degré parce qu'aux Etats-Unis, la parapsychologie, en général, n'a pas de vue globale et pénétrante de ce que veut dire *psi*.

Selon une définition nouvelle, *psi* engloberait tout ce qui, chez l'homme, n'est pas, de toute évidence, matériel ou qui ne suivrait pas les lois de l'univers physique. Ces aspects de l'homme qui transcendent les limites physiques devraient s'appeler psychiques ou psychotroniques. En fait, presque tout le reste est impensable. Le cliché matérialiste commun selon lequel tout est matériel, même ce qui ne peut présentement être interprété de la sorte parce que, dit-on, il le sera un jour, ne peut servir ni l'homme ni la science parce qu'il est tout à fait irrationnel. La mécanique quantique, les interrelations quantiques, la synchronicité, la télépathie, la vision à distance, tout atteste de la nature psychique de l'homme. Nous devrions aussi inclure dans cette nouvelle définition l'intuition, la créativité et l'esthétique, de même que les ramifications psychiques tels le lessivage de cerveau, le comportement, les variantes behavioristes, la psychologie en général (bien que souvent physique en apparence, elle comporte des aspects psychiques) et certaines formes de la guerre psychique.

Plus précisément, je pense, on devrait s'employer sérieusement à se demander pourquoi le comportement psychique est devenu une prévision rationnelle plutôt que d'être déclaré arbitrairement irrationnel. Tout ceci ressemble fort à un *lobby* politique, mais c'en est un qui doit être entrepris au nom de tous les scientifiques, et ils sont nombreux, qui tentent de se livrer à de la recherche dans ce domaine. Leurs travaux sont ralentis, souvent délibérément, je pense, par la nécessité de s'excuser auprès de leurs collègues, pour défendre leur droit d'exécuter de la recherche fondamentale sans se sentir poursuivis, et, comme c'est le cas parfois, sans craindre pour leur situation. On doit corriger cet état déplorable. La science moderne est assez forte pour éliminer elle-même la fraude et les hypothèses mal fondées. Chose certaine, ces disgracieuses diatribes contre la recherche psychique, telles qu'on les lit dans la presse ou qu'elles se déroulent dans les coulisses et qui ont pour but d'entraîner la réduction des subventions, ne sont plus dans l'intérêt de la science ni du genre humain en général.

Une telle évolution culturelle entraînerait une modification de la définition. En conséquence, je pense, il sera plus aisé de voir l'homme comme un organisme psycho-matériel, plus psychique que matériel, mais qui est en étroite liaison avec les univers matériels. Je ne propose pas cette nouvelle approche seulement parce que je suis fatigué de la situation qui existe entre les spiritualistes et les prétendus matérialistes, mais parce qu'elle se défend devant les faits. Tout éthérés et abstraits que puissent être les spiritualistes, ils n'en opèrent pas moins à travers un corps physique. Même les êtres d'outre-tombe ont souvent besoin du corps de quelqu'un pour se manifester. Et les matérialiste en sont encore à cogiter des méthodes propres à cette fin. La bataille du fantôme contre le roc doit maintenant cesser puisque tout indice sérieux permet d'entrevoir l'aurore du psycho-matérialisme.

Quant aux recherches sur l'après-vie, je pense qu'on y a consacré déjà trop d'attention. Chacun se soucie tellement de ce qui lui arrivera une fois enveloppé dans le doux linceul de la mort. C'est regrettable; car je voudrais bien que beaucoup de gens puissent faire face à la grande «faucheuse» sans crainte inutile. Il me semble que si plus de gens examinaient la *Vie* avec plus de conscience et plus d'intérêt, leurs craintes disparaîtraient par surcroît. Ils découvriraient et accepteraient peut-être le fait qu'après tout la mort prise au sens physique ne fait qu'obéir au principe de la conservation de l'énergie. Pour ce qui est du sens psychique, la mort n'est qu'un état d'esprit, état probablement volontaire, capable d'être modifié par celui-là même qui en est l'hôte.

14

Savoir la volonté de Dieu

Les hommes de science, y compris les psychiatres et les parapsychologues, ont pris en charge la discussion sur l'immortalité de l'être. Mais qu'est-il advenu de la base même de ce concept dans notre civilisation occidentale: la religion? En préparant ce livre, j'ai décidé de m'adresser à un ecclésiastique placé au carrefour de la religion et des études psychiques, le président de la *Spiritual Frontiers Fellowship,* le Révérend L. Richard Batzler, de Frederick, au Maryland. J'avais rencontré Monsieur le Révérend Batzler à plusieurs réunions de la Fraternité que je fréquentais, pendant quelque temps, à titre de rédacteur de son trimestriel, *Spiritual Frontiers,* et de conférencier à ses congrès et ses retraites. Toutefois, ces rencontres ne nous avaient jamais laissé le temps de discuter en profondeur du problème de la vie après la mort.

Et pourtant, j'avais l'impression que Batzler était, en cette matière, plus engagé que ne l'était la majorité des gens. Ses lettres en particulier m'incitèrent à le croire. J'eus la conviction que mon impression était fondée lorsque j'étudiai deux brochures qu'il avait écrites, notamment «Through the Valley of the Shadow», dans laquelle il conseille ses confrères du clergé sur la manière de relever le défi quotidien de l'assistance spirituelle et morale aux mourants. Il étaya ses commentaires sur des considérations psychologiques et théologiques ainsi que sur son expérience personnelle acquise auprès des malades et des mourants, tant à l'hôpital qu'à leur foyer. De plusieurs façons ses pensées s'accordaient avec celles du Dr Kübler-Ross, bien qu'elles s'exprimaient dans le cadre de son ministère. Plus précisément, Batzler suggérait: «Partagez vos pensées et vos sentiments sur la mort avec le patient, si vous croyez la chose indiquée. Ceci comprend votre croyance en une vie après la mort.»

Je me rends très bien compte qu'un prêtre, un ministre ou un rabbin puissent avoir du mal à accepter le concept d'une vie après la mort, malgré les concepts traditionnels et théologiques sur l'immortalité. Parler d'*espérance* est une chose, l'accepter en est une autre. De nos jours, les piliers de la conviction religieuse s'effondrent de partout. Quand l'occasion me fut fournie de demander directement au Révérend Batzler, avec autant de candeur que me le permettait le simple savoir-vivre, comment il était arrivé — si jamais il y était arrivé — à la conviction d'une vie après la mort, je lui posai une série de questions aussi personnelles qu'indiscrètes sur ce sujet. Ce qui suit est une partie de notre conversation.

EBON: Il me semble qu'en votre qualité de président de la *Spiritual Frontiers Fellowship,* vous devez, ou devriez, avoir une idée précise sur le sujet de la vie de l'être humain après la mort. Après tout, la Fraternité connaît trois champs d'action: la prière, le réconfort et, probablement le plus important des trois, la continuité de l'existence humaine après la mort.

BATZLER: C'est juste. D'abord, c'est à titre de guérisseur spirituel que je suis venu en contact avec la Fraternité. De là, je me suis mis à étudier le problème de la survie. C'était une forme d'évolution personnelle.

EBON: Voulez-vous dire que la raison principale de

votre adhésion à la SFF est la concordance des préoc-
cupations de cette société avec votre travail de réconfort?
BATZLER: Oui. Mais laissez-moi retourner en
arrière quelque peu. Je suis entré dans les ordres après
avoir entrepris une carrière exigeante dans la fonction
publique. Vous connaissez le dicton: «Médecin, guéris-toi
toi-même.» Je décidai de faire la paix avec moi-même:
faire moi-même l'expérience de la guérison avant de la
souhaiter aux autres.
EBON: Qu'avez-vous fait?
BATZLER: Comme je me remettais de la crise
émotive engendrée par les exigences de ma carrière, je
promis d'entrer au séminaire afin de consacrer ma vie à la
pastorale. Cette décision faisait partie du processus de
reconversion à une vie plus spirituelle. C'était là une
manière de transfert émotif fort important.
EBON: A quel moment de votre vie cela est-il arrivé?
BATZLER: J'avais environ trente-cinq ans. A
l'époque, je terminais ma thèse de doctorat à l'université
de Georgetown, à Washington, D.C. Après six ans passés
au service de l'Etat, ce fut donc trois années de séminaire.
Et au moment même d'entrer dans les ordres, je sentis
l'appel puissant vers le spiritualisme guérisseur. Je me suis
mis à considérer le réconfort spirituel comme le point central du Nouveau Testament. Ce qui m'amena à tenir dans
mon église ces services de guérison.
EBON: Où avaient lieu ces services?
BATZLER: A Baltimore. Ma dénomination s'appelait l'Eglise-Unie du Christ. C'était dans la tradition
familiale.
EBON: A quel moment votre travail de guérisseur
devint-il une part vraiment active de votre vie?
BATZLER: Au début des années 60. Alors que
j'étais affecté à l'église de Baltimore, j'ai pris connaissance des magnifiques guérisons spirituelles d'Ambrose et Olga Worrall. (Le défunt Ambrose Worrall, ainsi

que sa femme Olga, ont été, pendant plusieurs décennies, les chefs de file en matière de guérison spirituelle et de recherche psychique aux Etats-Unis.) En ce temps-là, les Worrall étaient très proches de la *Spiritual Frontiers Fellowship.* Ce sont eux qui les premiers attirèrent mon attention sur le travail de la Fraternité. Immédiatement, l'activité de cette société me plut.

EBON: Plus précisément, quel rôle les Worrall jouèrent-ils dans votre affiliation?

BATZLER: Ils m'ont incité à adhérer à la SFF. Par bonheur, je les avais rencontrés dans l'exercice de mon ministère. Cette année-là, mon église était celle de Saint-Paul de l'Eglise-Unie du Christ, à Baltimore. J'organisais des services de guérison dans mon église, accompagnés d'exercices pastoraux. Je ne voulais pas, toutefois, me limiter à l'aspect réconfort; je tentais d'y ajouter d'autres formes de thérapie.

EBON: Comment la SFF a-t-elle pu vous aider?

BATZLER: Dans la SFF, j'ai rencontré d'autres *clergymen,* j'ai vu ce qui se faisait dans d'autres églises. Cela m'a donné une chance d'examiner d'autres formes de guérison, telles la méditation et la prière. Mes conceptions de la guérison en furent élargies. Pendant ce temps, je continuais mes études du Nouveau Testament, particulièrement les guérisons accomplies par Jésus, les comparant à mes propres expériences et à d'autres observées ailleurs. De mes quelque cent paroissiens, plusieurs s'adonnaient au travail de guérison. Personne ne s'y opposait mais le grand nombre se montrait indifférent. Par ailleurs, quelques fidèles des paroisses avoisinantes se joignirent à nous à cause de notre travail dans ce domaine.

EBON: Souvent des gens exposent leurs problèmes à des journalistes spécialisés, comme Ann Landers, qui leur suggère d'aller voir leur pasteur. Cela ne vous place-t-il pas parfois dans une situation difficile?

BATZLER: Parfois oui. Plus souvent, ces correspondants vont voir leur psychiatre, qui, de nos jours, constitue la nouvelle prêtrise. Certaines personnes n'oseraient pas venir m'exposer leurs problèmes émotifs mais n'hésiteraient pas à aller les confier au psychiatre. Bien qu'au début, peu de gens me rendirent visite, je continuai quand même à m'intéresser à la guérison spirituelle jusqu'au jour où cette activité m'amena à m'intéresser à la communauté élargie qu'était la *Spiritual Frontiers Fellowship*. Ce qui m'incita à scruter en profondeur le problème de la survie.

EBON: Comment?

BATZLER: Jusqu'à ce jour, ce sujet avait été pour moi d'ordre académique, comme il l'avait sans doute été pour de nombreuses personnes, membres du clergé ou non. C'était resté au stade du théorique. Mais à force de parler aux gens, de les fréquenter, de les observer, et d'écouter le récit de leurs expériences, j'ai subi leur influence. J'avais aussi été influencé par mes rencontres avec les Worrall, au temps de leur introspection spirituelle.

EBON: Comment la guérison et la survie se sont-elles rencontrées?

BATZLER: Au contact des Worrall, j'observais qu'à certains moments des entités désincarnées semblaient les aider dans leur travail de guérison. Je n'ai jamais constaté ce phénomène dans mon travail, mais j'ai toujours eu le sentiment qu'une «aide» me venait d'outre-tombe. J'y crois encore davantage aujourd'hui.

EBON: Mais surgit ici une question. Pourquoi croyez-vous que votre pouvoir de guérison, de source présumée divine, soit mieux orienté que s'il prenait sa source dans des entités, que vous pourriez appeler angéliques, désincarnées, ou quelle que soit la catégorie appropriée?

BATZLER: Je ne puis répondre à cette question. Je ne suis pas encore rendu là. Mais je suis en voie d'évaluer cet aspect de mon action spirituelle. Je n'ai servi de truchement à rien d'identifiable. En une certaine occasion, quelque chose qui me parut très important, et qui d'une manière était une «guérison», passa par Arthur Ford, le réputé médium décédé il y a quelques années. Ceci arriva à Chicago il y a environ dix ans. Quelque temps après sa mort, le président de notre église, Fred Hoskins, se manifesta par le truchement d'Arthur. A l'époque, j'étais quelque peu découragé par certaines difficultés rencontrées dans le ministère que j'exerçais dans ma paroisse. D'abord, Hoskins se manifesta par l'intermédiaire de la médiumnité de Ford en fournissant du matériel à conviction. Ensuite, il ajouta un très beau message qui souvent m'aida dans ma tâche. Fred Hoskins dit que le Saint-Esprit travaille autant «de ce côté-ci» que «de l'autre côté». Il m'exhorta à ne pas me décourager. Il dit ceci: «L'Eglise visible et l'Eglise invisible forment l'Eglise indivisible.» Ces quelques mots exercèrent sur moi une influence capitale.

EBON: C'était, de toute évidence, à la fois très fort et très poétique.

BATZLER: En effet. J'ai souvent fait usage de cette phrase depuis, autant pour moi-même que pour aider mes paroissiens en difficulté. C'est là un des exemples les plus précis d'un «effet guérisseur» venant de l'au-delà.

EBON: En comparaison, peut-on dire que c'était comme la petite goutte de plomb fondu qui, par le geste du soudeur, unit deux fils et complète le circuit?

BATZLER: C'est ça. Et j'ai poursuivi mon cheminement; de cet élément de survie relié à la guérison, je suis passé à l'acceptation de la survie après la mort. Le début de ce cheminement se situe aux environs de 1967. Mon activité d'alors m'amenait à la *Spiritual Frontiers Fellowship* ainsi qu'elle me mettait en contact avec les

Worrall et Arthur Ford. Cette expérience est chargée de signification pour moi et c'est là la raison de mon engagement dans la SFF.

EBON: En dehors de toute évidence circonstancielle et de toute considération scientifique ou pseudo-scientifique, quelle est, aujourd'hui, votre position vis-à-vis la question d'une vie au-delà de la mort?

BATZLER: Ma conviction est fondée sur la conjonction de différents facteurs. En premier lieu, il y a ma connaissance de l'histoire humaine, surtout de sa démarche religieuse vers une vie éternelle. Il y a aussi les «preuves» apportées par les philosophes. Enfin, l'étude de l'Ancien et du Nouveau Testament m'a sensibilisé à la question de la survie et de la résurrection. Etant donné que la résurrection est essentielle à la foi chrétienne, je me rends compte du peu d'attention que porte à ce sujet la théologie contemporaine. Le domaine entier de la parapsychologie m'a instruit. J'ai acquis la compréhension de ce sujet principalement par mon propre travail auprès des mourants, en ma qualité de pasteur, ce qui a contribué à rendre ma croyance plus solide.

EBON: Comment raccordez-vous l'un à l'autre les aspects théoriques et pratiques?

BATZLER: J'ai vu des gens passer d'une condition à une autre, d'un état de désespoir à un autre, et même se rendre au-delà du désespoir. J'essaie de raccorder la résurrection et le Nouveau Testament avec l'expérience de la mort humaine, en tenant compte des espoirs et des affirmations des individus proches de la mort et qui consentent à parler de résurrection.

EBON: Combien de personnes avez-vous vues mourir?

BATZLER: Laissez-moi considérer les différentes étapes de la mort. J'ai peut-être vu près de deux cents personnes pendant la phase terminale et environ cinquante au moment même de la mort.

EBON: Ces expériences ont-elles renforci vos croyances personnelles?

BATZLER: Oui, bien sûr. Mais récemment, toutefois. J'ai encore beaucoup de chemin à parcourir. Je m'efforce d'aiguiser ma sensibilité à ce genre d'expérience afin d'être davantage utile à ceux que mon ministère me confie.

EBON: Si vous me permettez d'être un peu brutal, cela signifie-t-il que vous vous demandez: «J'espère que ce que je leur dis est vrai!» N'est-ce pas là un problème pour vous?

BATZLER: C'est toujours un problème pour moi. C'est ce qui explique mon immense intérêt pour tout ce qui porte sur ce sujet. Je ne crois pas arriver à la solution ultime; tout ce que je demande, c'est d'être plus utile à mes semblables. Je veux aussi partager mes connaissances avec mes collègues.

EBON: Je me rends compte, tout à coup, que je ne vous ai pas posé la question cruciale: Croyez-vous qu'il y ait une vie après la mort?

BATZLER: Je le crois.

EBON: Est-ce une question de foi ou une question de conviction, disons, scientifique?

BATZLER: C'est d'abord une question de foi.

EBON: D'après vous, est-il essentiel que notre foi en une vie dans l'au-delà soit enrichie de preuves issues du laboratoire?

BATZLER: Aujourd'hui, je dirais que non.

EBON: Alors, que cherchez-vous, et où cherchez-vous?

BATZLER: Je cherche à comprendre davantage ma foi et à la mieux exprimer. Cela veut dire que je retourne constamment à l'Evangile. Mais je regarde aussi du côté des autres croyances. Je veux savoir ce que les autres religions ont à dire sur le sujet de la vie après la mort, sur l'immortalité et la résurrection. Je ne m'attends pas à ce que cette recherche se termine un jour. C'est, je crois, par cette recherche qu'on dévoilera de plus en plus de vérité.

15

Les instruments vivants

Douglas Johnson est un Anglais, érudit, doux, qui a servi dans la *Royal Air Force* pendant la Deuxième Guerre mondiale et qui est devenu l'un des médiums les plus réputés au monde. Contrairement à d'autres extra-lucides, son nom n'a jamais été associé à la fraude. Johnson acceptait son don avec réticence, voire avec crainte. C'est là une autre facette de son histoire, et non pas la raison pourquoi j'entame ce chapitre par un court profil biographique de cet homme. Il n'est pas seulement un truchement pour les entités de l'«au-delà», il les voit et les entend même quand il n'est pas en transe.

Et cela est embarrassant. Surtout si on n'est pas sûr de voir un mort ou un vivant.

Un soir, Johnson était attablé à un bar londonien avec un ami, sirotant un sherry et parlant à voix basse. De leur table, ils pouvaient voir le bar à quelques pieds. Assis au bar, il y avait un Noir et une femme plus âgée que ce dernier portant le costume de son pays, la Jamaïque, Trinidad ou un autre des Caraïbes. On rencontre maintenant, en Angleterre, des centaines de milliers d'indigènes des Antilles, mais presque tous portent le costume européen. L'accoutrement de la femme intriguait Johnson qui dit à son ami: «N'est-ce pas étrange — regarde cette femme en costume de son pays.» L'ami regarda en direction du bar et répondit, étonné: «Je ne la vois pas. Je ne vois qu'un Noir en costume ordinaire, veston sport.» Connaissant Douglas Johnson et sa propension pour les esprits, il ajouta «Elle doit faire partie de tes fantômes. Tu devrais aller lui parler.»

Selon le récit de Johnson, il se leva pour lui parler mais elle avait disparu. Dans le but d'en savoir davantage, il invita l'Antillais à venir boire un verre à sa table où était déjà son ami. Après un moment de surprise, l'homme accepta. Aussitôt les trois hommes installés, la femme réapparut. Sa voix sembla pénétrer l'esprit de Johnson. Elle lui dit: «C'est mon fils. Il se propose de faire quelque chose de stupide ce soir. Arrêtez-le.»

Fréquenter les esprits, c'est une chose; raconter l'incident à des étrangers, c'en est une autre. Johnson s'interrogea: «Au pire, le Noir ne peut que me tenir pour fou; et au mieux, il peut en sortir quelque chose de bien», se dit-il. Alors il dit au Noir: «Votre mère viens de me dire que vous vous apprêtez à faire quelque chose de stupide ce soir — et vous ne le ferez pas.»

L'homme sembla estomaqué et répondit: «Ce ne peut être ma mère, elle est morte.»

Mais la voix parlant à Johnson lui souffla: «Dites-lui que j'étais aveugle de naissance, mais que maintenant je puis voir dans le monde des esprits.»

Ce détail parut convaincre l'Antillais. Ebranlé par cette intervention, il répondit: «Ce doit être ma mère. Dites-lui que je ne le ferai pas.»

Les trois hommes devinrent bons copains par la suite. Plus tard, l'Antillais confessa à Johnson que ce soir-là, il devait servir de sentinelle pendant un vol de banque. Quand ils se rencontrèrent, une semaine après, le Noir raconta que tous les autres de la bande qui avaient participé au vol avaient été pris tandis que lui, grâce à l'intervention de sa mère, s'était retiré du coup.

Dans une interview accordée au magazine *Psychic* de février 1971, Johnson relate cette histoire qu'il tient pour un exemple d'«intervention directe de l'au-delà». Le lecteur de ce livre sait maintenant qu'en pareil cas, les scientifiques peuvent toujours apporter une autre explication. En voici une juste pour montrer la possibilité d'en imaginer une autre, même dans un cas aussi clair. Douglas Johnson est un télépathe doué qui, en regardant le bar, a peut-être saisi les problèmes du jeune Antillais; peut-être même a-t-il saisi le conflit du jeune homme avec sa mère, autoritaire, imposant sa conception du bien et du mal. Plus tard, Johnson a peut-être capté non seulement l'image visuelle de la mère, mais aussi le fait qu'elle était née aveugle. Mêlé aux idées de Johnson sur le monde de l'au-delà, le conflit du jeune homme en sortit dramatisé, d'où l'impression de voix et d'image de la mère habillée en costume indigène.

Cette interprétation basée sur la télépathie est plus fantaisiste et moins convaincante que celle de Johnson, imbue de l'inquiétude d'une mère pour son fils placé à un moment crucial de sa vie. Le médium britannique est bel et bien conscient de la position délicate où se trouve souvent l'instrument humain appelé à relier les vivants et les morts. Son propre cheminement dans la médiumnité illustre ce fait. Bien que ce don se manifesta très tôt chez lui, comme chez la plupart des médiums, il en fut effrayé. Par exemple, à l'âge de six ans, il aurait pu dire à sa mère: «Grand-maman vient manger aujourd'hui.» Malgré la réponse négative de sa mère, la grand-mère arrivait. Ce n'était là que de la bonne vieille télépathie traditionnelle unissant la grand-mère et le petit-fils, comme on le voit souvent chez deux êtres de générations différentes.

Johnson se souvient d'avoir assisté, dans sa jeunesse, à des séances en compagnie d'autres médiums. Un jour, il

visita le *British College of Psychic Science,* à Londres, et
participa à une séance d'Eileen Garrett. Au sujet de cette
rencontre, Johnson raconte dans *Psychic* que c'était par
une fin d'après-midi de janvier. Il faisait sombre. On me
demanda de m'asseoir et Madame Garrett tomba en transe. C'était une transe remarquable. Ma défunte mère
passa très bien la rampe. On m'appela par mon sobriquet
et je fus témoin de la mention de plusieurs faits véridiques.
A la fin de la séance, la chambre était noire. Au moment
de sortir de sa transe et de s'allonger le bras pour allumer
la lumière, elle me vit et, toute surprise, me dit: «Vous êtes
beaucoup trop jeune pour dépenser votre argent de la sorte. Vous devriez vous payer plutôt de la bière et des filles.»
Je lui répondis que cette séance était mon cadeau d'an-
niversaire offert par ma tante.

C'est à l'âge de quinze ans que Douglas Johnson eut
peur. On l'avait amené à une leçon de développement psychique. On l'avait fait asseoir dans une petite chambre
surchauffée au milieu de plusieurs personnes. Soudain il se
sentit pris d'un malaise mais ne voulut pas interrompre la
séance de peur d'indisposer les autres visiteurs qui se
tenaient par la main dans l'espoir de sentir le «fluide»
passer. Après un temps indéterminé, son hôte lui offrit un
verre d'eau. Trois quarts d'heure s'étaient écoulés; pendant
ce temps, Johnson avait été dans une transe médiumnique et avait servi de truchement à un Chinois du nom de
«Chiang».

L'idée de mourir, de perdre la maîtrise de lui-même,
ajoutée à l'intrusion d'un Oriental qui le fit passer pour
ventriloque, inquiéta beaucoup Douglas. Il craignit de
tomber en transe dans des circonstances inopportunes.
Après avoir maîtrisé sa peur, il tomba souvent en transe et
poursuivit cette méthode jusqu'à l'âge de vingt ans. Pendant son service militaire, il bénéficia d'un service postal
spécial de la bibliothèque du *College of Psychic Science.*

En 1947, après la guerre, Douglas Johnson entreprit de tenir régulièrement des séances pour qui le lui demandait. Aujourd'hui, Johnson est un médium professionnel, en Angleterre et pendant ses voyages aux Etats-Unis. Plusieurs parapsychologues américains ont eu recours à ses services. C'est une étrange affaire que celle d'un médium associé à un guide. Ordinairement, le guide joue le rôle de présentateur afin de protéger le médium, ou encore celui d'un gendarme qui dirige la circulation des esprits pendant les séances. Le médium qui a fait l'objet d'études intenses de la part du réputé philosophe-psychologue William James était Madame Leonore Piper qui avait elle-même un guide appelé «Phinuit». Madame Gladys Osborne Leonard, célèbre médium britannique, avait pour guide une jeune femme nommée «Feda». Lors de mes visites chez Frank Decker, à New York, on pouvait entendre la voix d'un jeune garçon du nom de «Patsy» qui servait de guide. Eileen Garrett avait «Uvani» pour garde-barrière. Celui-ci n'apparaissait que brièvement au début d'une séance. Elle avait aussi «Abdul Latif», guide moins laconique et plus accueillant. Arthur Ford avait pour guide «Fletcher», un homme qu'il avait connu de son vivant. Le rédacteur de l'hebdomadaire spirite londonien *Psychic News,* le très professionnel Maurice Barbanell, sert parfois de lien humain entre les deux mondes. Dans ce rôle, il fait appel à un guide nommé «Silver Birch», un Amérindien.

Le rédacteur de la revue *Psychic* demanda à Johnson son avis sur le fait que si souvent les guides sont des «personnages orientaux exotiques». Johnson répondit: «Eh! bien, les sceptiques diraient qu'ils sont plus dramatiques. On pourrait dire aussi que les Indiens de l'Amérique du Nord, les anciens Egyptiens, les Chinois et d'autres furent éduqués dans la croyance en une communication avec l'autre monde. En conséquence, quand ils vont dans l'au-delà, ils seraient mieux préparés à utiliser les forces nécessaires à la communication. Mais en réalité, je ne sais pas. Je connais des gens qui ont des guides européens. Je crois aussi que les guides sont souvent des «aspects» supérieurs de quelqu'un. Ils semblent, de plus, souvent manifester plus de sagesse et de compréhension que les personnes qui leur servent d'intermédiaire. En ce sens, ils sont donc utiles et l'on doit les considérer comme tels et non comme des sources inépuisables de connaissances.»

L'idée que les guides seraient des «aspects supérieurs» des médiums ouvre une porte à une interprétation sur la communication avec les esprits, interprétation qui serait conforme à la discussion courante sur la médiumnité. En quelques mots, cela voudrait dire que les médiums se serviraient de leur rôle pour exprimer leurs ambitions ou leur créativité, ce que, pour une raison ou pour une autre, ils sont réticents à faire en leur propre nom. Cette situation ressemble à celle du romancier qui serait poltron, introverti mais qui créerait des personnages aventureux, «sexy» et éminemment extravertis. Certains acteurs ou actrices sont fades dans l'intimité de leur vie privée mais ont le talent de donner une dimension dramatique aux personnages créés par l'auteur.

Il en est de même dans l'histoire de la religion. Règle générale, les prophètes de n'importe quelle croyance prétendent ne pas parler en leur nom mais au nom de Dieu qui se manifeste par leur intermédiaire. Celui qui se dit «inspiré» oublie que, littéralement, ce mot veut dire «habité par un esprit», présumé de nature divine. L'apôtre saint Jean qui a écrit le dernier Livre du Nouveau Testament, la «Révélation», doit avoir été en communion avec l'Esprit, c'est-à-dire qu'il servait de messager à Dieu ou au Christ.

Souvent les praticiens du monde psychique ou pseudo-psychique prononcent cette phrase: «Je ne suis qu'un instrument.» La voyante de Washington, Mme Jeane Dixon, en est un exemple. Elle n'est que la courroie de transmission de Dieu, dit-elle d'elle-même. Mais que dire de ceux qui ne déploient de talent créateur que dans leur rôle de liaison humaine entre, prétendent-ils, les esprits désincarnés et nous tous?

Laissez-moi vous citer les deux exemples les plus étonnants qui soient, l'un en littérature, l'autre en musique. Il y a d'abord Mme Pearl Lenore Curran, une femme de Saint Louis, par le truchement de qui une entité, qui se nomme elle-même «Patience Worth», a communiqué une masse d'écrits formulés en termes du dix-septième siècle. Ensuite, il y a la musicienne-médium Rosemary Brown qui joue des compositions prétendues «nouvelles» qui lui seraient dictées par certains des grands maîtres décédés.

L'histoire de Patience Worth débuta en 1913 quand Mme Curran reçut un message par la table Ouija. Le message se voulait comme suit: «Il y a plusieurs lunes, j'étais vivante. Encore j'arrive. Je m'appelle Patience Worth. Attendez, je voudrais vous parler. Si la pensée doit vivre, moi aussi. Je fais mon pain dans ta cheminée. Bons amis, soyons joyeux. Le temps du travail est passé. Laissez la chatte sommeiller et distiller sa sagesse au bord du foyer.»

Au moment de cet incident, Mme Curran, femme d'un ancien commissaire de l'immigration du Missouri, John H. Curran, était accompagnée de son amie Mme Emily Grant Hutchings, femme du secrétaire du *Tower Grove Park Board,* de Saint Louis. Voici quelques-uns des points saillants de ce cas de «lien humain» avec le monde de l'au-delà. Ce cas reste la meilleure illustration d'une littérature créée de cette manière. Trois livres furent écrits sur ce cas remarquable. Le premier, par Casper S. Yost, s'intitule *Patience Worth: A Psychic Mystery* (New York, 1916); le second par Walter Franklin Prince, *The Case of Patience Worth* (Boston, 1927); le troisième et probablement le meilleur, par Irving Litvag, *Singer in the*

Shadows: The Strange Case of Patience Worth (New York, 1972).

Yost se dit d'avis qu'en cette soirée de juillet, à Saint Louis, s'amorcèrent une série de communications dont la vigueur et la qualité littéraire dépassent tout ce que nous avait apporté la chronique des phénomènes psychiques. La personnalité de Patience Worth — si l'on peut s'exprimer ainsi — a tellement impressionné les deux femmes, dès la première «visite», qu'elles prirent du papier et un crayon pour écrire non seulement tout ce qu'elle communiquait via la table, mais toutes les questions et commentaires pertinents. Par la suite, toutes les conversations furent consignées sur papier.

De ces communications, Yost a identifié des conversations, des maximes, des épigrammes, des allégories, des contes, des drames, des poèmes, de tout, allant des sports à la religion. Même des prières, la plupart d'une grande beauté et qu'on pourrait qualifier d'unique en littérature. D'après l'évaluation de Litvag, les écrits de Patience Worth, conservés aux archives de la Société historique du Missouri, remplissent vingt-neuf volumes reliés, formant un total de 4 375 pages à simples interlignes.

Au début, les écrits de Patience Worth suscitèrent beaucoup d'intérêt. Le livre de Yost fut très bien accueilli. Mais la lecture des écrits de Patience Worth rebute à cause de leur longueur et de la complexité du style. On eut maille à convaincre les critiques littéraires de l'authenticité de son langage. Parmi ses pièces majeures, on trouve *The Sorry Tale*, un long roman historique où l'action se passe au temps du Christ, qu'elle prit presque deux ans à compléter. Dans le but de lancer les oeuvres de Patience Worth sur le marché littéraire, les Curran approchèrent les éditeurs de New York, Henry Holt et son associé Alfred Harcourt. On rencontre aujourd'hui le nom de ces deux hommes dans deux grandes maisons d'édition, Holt,

Rinehart & Winston ainsi que Harcourt Brace
Jovanovich. A diverses reprises, Holt et Harcourt, accompagnés de Mme Curran, placèrent leurs mains sur la
table parlante pour entendre Patience Worth dicter des
parcelles de *The Sorry Tale*. Quand Harcourt remplaça Holt, on demanda à
Patience si elle était au courant du changement. Voici la
réponse, témoin de son style caractéristique. [1]

Litvag croit que ce commentaire de Patience Worth
fournit un portrait ressemblant de Harcourt en train
d'évaluer des manuscrits ou de siroter selon son habitude une
boisson chaude au moment de prendre ses décisions. Selon
toute probabilité, ajoute Litvag, Mme Curran ne connaissait pas ces détails touchant le travail et les habitudes
des deux éditeurs. Quand Harcourt s'enquérit auprès de
Patience pour savoir si la photo de Mme Curran devait
figurer sur la couverture d'un livre sur cette affaire,
Patience fit allusion à un «pot». Litvag se demande si
Pearl Curran n'était que le «pot» dans lequel Patience
Worth versait son débit littéraire?

Après ces nombreuses années, personne ne peut dire
ce qui en est. D'aucuns diront que Mme Curran pratiquait
la télépathie, ce qui éliminerait la participation de l'esprit.
Mais la vitesse et la facilité avec lesquelles Patience Worth
débitait sa dictée dépassent toute capacité humaine. Patience
pouvait composer des poèmes sur commande, même si on
lui demandait de faire commencer chaque ligne par une
lettre différente de l'alphabet, excepté «X». Elle pouvait
les fabriquer en pièces détachées et les assembler par la
suite. La question reste entière: si Mme Curran avait le
talent d'écrire ce que dictait Patience Worth, pourquoi
alors ne le faisait-elle pas sous son vrai nom plutôt que de
susciter le doute et la critique en prétextant écrire sous la

---

1. Le langage de Patience Worth est tellement anachronique et particulier que toute traduction lui enlèverait son charme. Sa réponse à la question prouve qu'elle connaissait les
affaires de Holt et Harcourt.

dictée d'un «esprit»? Nous ne savons rien des ambitions et des talents de Mme Curran. Toutefois, Litvag s'en rapporte à un conte, écrit de sa main, qu'elle vendit au *Saturday Evening Post*. Ce conte comprend une personnalité secondaire créée par une femme qui s'écrie: «Eh bien, je ne voulais pas être moi-même. Je ne pouvais plus me supporter. Je voulais me sentir une femme à qui on porte attention...»

Probablement, ce qui s'approche le plus du cas de Patience Worth est celui de «Seth», l'entité associée à Mme Jane Roberts. La communication commença en 1963. Elle suit le modèle de Patience Worth en ceci que la dictée passe de la table parlante à un point où Mme Roberts «entend» des phrases complètes dans son esprit avant même que ces phrases ne soient épelées par la table. La comparaison s'arrête là parce que Jane Roberts tombe en transe tandis que Mme Curran n'y est jamais tombée. D'autre part, Seth épouse des idées psychiques ou religiophilosophiques tandis que Patience Worth s'en est presque toujours tenue à de la fiction ou de la poésie, malgré ses commentaires sur des sujets abstraits.

Dans des ouvrages tels que *The Seth Material* (Englewood Cliffs, N.Y., 1970) et d'autres plus récents, Seth s'exprime longuement sur la réincarnation et autres sujets psychiques populaires. Contrairement à Mme Curran, Mme Roberts avait publié de la poésie et autres genres avant l'entrée de Seth dans sa vie. Deux de ses romans: *The Rebellers* et *Bundu,* et sur la parapsychologie: *How to Develop Your ESP Power.* Je crois que de nombreux lecteurs des textes de Seth sont attirés vers ce genre de lecture parce qu'ils croient lire les écrits d'un esprit désincarné. Mais Jane Roberts ne s'en pose pas moins la question: «Seth, c'est qui ou quoi?» A sa question, Mme Roberts répond: «J'ai toujours évité d'appeler Seth un esprit.» Elle n'aime pas le mot «esprit»; ce serait, dit-elle, une réponse trop facile et elle ajoute:

«En acceptant une solution, nous pouvons nous fermer l'esprit à d'autres solutions. Je ne dis pas que Seth n'est qu'une structure psychologique utile à mes expressions, non plus que je nie son existence autonome. J'opte plutôt pour un mélange de sa personnalité et de la mienne et ce «pont psychologique», établi à l'occasion des séances, constitue en soi une structure légitime essentielle à de telles communications. Seth approche de sa fin et moi aussi. Je suis de l'avis de Seth ici. Je ne crois pas que ce soit juste une question de médium qui s'estompe et qui ne joue plus que le rôle d'un appareil téléphonique. Je crois que Seth est une partie d'une autre entité, et qu'il est quelque chose de bien différent, disons, comme un ami qui aurait survécu à la mort.»

Ce sont là des idées complexes. Mais si nous voulons être honnêtes avec nous-mêmes, nous devons garder notre esprit ouvert à toutes les idées. C'est très bien si des humains sont allés jusqu'aux confins de la vie pour revenir nous dire leur confiance en une après-vie; c'est réconfortant que des malheureux puissent aller assister à des séances pour participer à des conversations intimes avec leurs chers disparus; c'est fascinant de supposer qu'un être comme Patience Worth puisse produire toute une oeuvre littéraire par le truchement d'une personne vivante. De toute évidence, nous avons affaire à une frontière qui doit être approchée de plusieurs directions. Les opinions entendues nous suggèrent de ne rejeter aucun mode d'existence après la mort.

Maintenant, considérons le cas de cette femme qui prétend recevoir les compositions posthumes des plus grands musiciens. Nous l'avons rencontrée; elle s'appelle Rosemary Brown. Elle habite l'Angleterre mais elle visita les Etats-Unis pour raconter ses expériences et pour jouer au piano certaines desdites compositions. Lors du concert de Mme Brown au *Town Hall* de New York, j'étais l'un

des experts invités à évaluer la signification de ses prétentions.

La soirée fut charmante. Elle était tenue sous les
auspices de la section new-yorkaise de la *Spiritual Frontiers Fellowship,* cette organisation d'envergure nationale
vouée à l'exploration des interrelations entre la religion et
les phénomènes psychiques. Madame Brown est une
modeste Anglaise, d'âge moyen, qui se présente comme la
femme typique de banlieue, et qui joue le rôle d'antenne
réceptrice des messages et des «nouvelles» compositions
de personnages aussi célèbres que Franz Liszt. Liszt joue
auprès de Mme Brown le rôle que jouent les guides auprès
des autres médiums. «Tous les compositeurs qui sont
venus me voir étaient accompagnés de Liszt», dit-elle.

Dans son livre *Unfinished Symphonies* (New York,
1971), Mme Brown fait état de ses relations uniques avec
Liszt. Elle dit que Liszt lui a présenté les autres compositeurs «parce qu'il est l'organisateur de ce groupe de
musiciens qui ont recours à mes services. Même si les
autres compositeurs viennent me voir «par eux-mêmes»,
généralement, Liszt surveille comment vont les choses»,
ajoute-t-elle.

Le cheminement de Rosemary Brown ressemble fort à
celui des autres médiums. Elle fut très jeune sujette à des
expériences. La première fois qu'elle «vit» Liszt, elle avait
sept ans, mais elle était «déjà habituée à voir de prétendus
morts». L'image qu'elle a gardée du fantôme de Liszt est
celle d'un vieillard aux cheveux blancs. La première fois,
Liszt lui dit: «Quand tu seras grande, je reviendrai et te
donnerai de la musique.» La petite Rosemary était
tellement habituée de voir des personnes de l'autre monde
qu'elle n'en passait plus de remarque. Elle ne mentionna
même pas la visite de Liszt. Le grand musicien revint et
«prit la tête du groupe de musiciens célèbres qui me rendent visite chez moi pour me donner leurs nouvelles com-

positions». En 1970, Mme Brown avait déjà accumulé 400 pièces de musique de cette façon-là.

On retrouve dans la musique «reçue» pendant les six premières années de rapport avec les compositeurs «des chansons, des pièces pianistiques, des quatuors à cordes incomplets, le début d'un opéra, de même que des bribes de concertos et de symphonies». On a enregistré la musique de ces soi-disant esprits. Comme Douglas Johnson, Eileen Garrett et d'autres médiums, Mme Brown avait, dans son jeune âge, intrigué sa mère en lui racontant des faits qu'elle «ne pouvait pas savoir, vu qu'elle n'était pas encore née au moment où ces faits se sont produits».

Aujourd'hui, Mme Brown se réjouit d'avoir été choisie pour recevoir ces compositions de préférence à quelques musiciens ou compositeurs réputés. Mais ce ne fut pas sans problèmes. Dans son livre *Unfinished Symphonies,* elle dit: «Ce travail me fascine et je m'y emploie au meilleur de mes capacités. Mais parfois, à cause de l'incompréhension des gens, je souhaiterais que l'intermédiaire choisi fût quelqu'un d'autre.»

A tout prendre, son auditoire new-yorkais se montra cordial et réceptif. Habillée simplement, Rosemary Brown créa une impression de fierté discrète et d'étonnement devant tout ce qui lui arrivait. Elle décrivit sa vie simple, son veuvage, son besoin de travailler cinq heures par jour à la cantine d'une école pour joindre les deux bouts. Sans prétention, elle parla aussi de ses «rencontres avec Beethoven, Schubert, Chopin, Rachmaninov et Brahms». Elle trouva Brahms particulièrement dur; «un maître exigeant», dit-elle.

Finalement, Rosemary Brown joua. En fait, elle joua fort bien, affichant une aisance étudiée. Les musicologues sont aussi divisés au sujet des compositions «extra-terrestres» de Mme Brown que le sont les experts touchant à peu près tous les sujets sous le soleil. Certains ont qualifié ces oeuvres d'«imitations», d'autres d'«authentiques». N'étant pas musicologue, je contribuai au verdict des experts par l'opinion qu'on apporte généralement dans l'étude des cas de médiumnité. Mme Brown est une dame Curran du piano tout comme Mme Curran était une dame Brown de la plume. Les deux, je suppose, étaient douées d'un potentiel créateur bien avant l'arrivée des impulsions d'outre-tombe. Chacune l'exprima à sa manière. Et pourtant, les rouages de la créativité sont intimement liés à cette qualité imprécise appelée «inspiration». Sa source reste un mystère. Chacune des deux femmes devint une «liaison humaine» avec un autre monde, un monde de l'Esprit ou un monde de la Créativité.

Matthew Manning est un jeune extra-lucide britannique d'entrée récente dans le domaine. Il est doué de multiples talents. Sa contribution est celle d'une troisième dimension à la créativité psychique: il dessine selon le style des peintres désincarnés du passé, tout comme Mme Brown écrit des compositions musicales. Parmi les dessins automatiques de Manning, on retrouve des toiles peintes à la manière d'Albrecht Dürer, chargées de détails méticuleux comme le sont les toiles du maître, et de l'Espagnol à la gamme variée, Pablo Picasso. Dans mon livre, *What's New in ESP?* qui contient un chapitre sur les phénomènes présents et passés de Manning, j'ai écrit que ses dessins sont diversement «interprétés comme étant des répliques inspirées des oeuvres d'art existantes, le produit des esprits, ou le fruit de son subconscient». Ce voyant a également été capable de faire un «diagnostic» apparemment dicté par un médecin désincarné, du nom de «Thomas Penn». On rencontre au Brésil, en Grande-Bretagne et même dans toutes les parties du monde, des personnes qui font des diagnostics et même des traitements sous la direction d'«esprits» médicaux. Les médiums qui jouent le rôle de liaison humaine entre une autre dimension, ou le monde des esprits, et notre propre palier de connaissance, travaillent, comme nous l'avons vu, dans des domaines de la création tels la musique et les arts. La guérison par l'intervention des esprits se pratique, la plupart du temps, dans des sociétés où le concept de la pratique illégale de la médecine n'existe pas. On reste dans la parfaite ignorance des raisons pour lesquelles certaines liaisons humaines, c'est-à-dire, au moyen des machines dons. Mais avant même de pouvoir répondre à cette question, une autre surgit: pouvons-nous nous passer de liaisons humaines, c'est-à-dire au moyen de machines spéciales, pouvons-nous construire des liaisons non humaines qui communiqueraient avec l'au-delà?

Le sujet de ce qu'on appelle techniquement des «appareils de communication avec des personnes désincarnées» a été exploré avec ténacité par un ancien ingénieur de la RCA, M. Julius Weinberger. Dans ses travaux auprès d'intermédiaires «sensibles» se situant entre les vivants et les morts, Weinberger fit des expériences pendant quatre ans avec la plante Dionaea muscipula. Ses résultats laissent croire en la possibilité d'appliquer sa méthode à des personnes désincarnées. A ce jour, aucun intermédiaire n'a démontré un tel degré de sensibilité et de potentialité.

16

Houdini est-il revenu d'entre les morts?

Dans le récit de ma première séance de spiritisme raconté dans le premier chapitre de ce livre, je fais état de mon étonnement devant le soi-disant esprit du Dr Walter Franklin Prince, directeur scientifique de l'*American Society for Psychical Research,* qui me dit regretter d'avoir douté de l'authenticité du médium bostonien Margery Crandon. Un autre incident semblable se produisit antérieurement quand l'esprit du grand magicien Harry Houdini confirma son existence posthume et voulut expier ses torts envers Mme Crandon. On doit prendre ces témoignages avec un grain de sel. Je doute fort que le défunt docteur Prince, que j'admire beaucoup pour sa tolérance et son objectivité, ait choisi le jeune et ignorant Martin Ebon pour confesser les erreurs de sa vie terrestre. La séance avec Houdini est également sujette à caution. Pour cette occasion, le magicien avait eu recours à un code connu seulement de sa femme Béatrice.

Par la suite, le code fut mentionné à une séance tenue par Arthur Ford, le 7 janvier 1929. Il était formé des dix mots suivants: «Rosabelle — Answer — Tell — Pray — Answer — Look — Tell — Answer — Answer — Tell».

Peu de temps après, Madame Houdini écrivit une lettre at-
testant que c'était bien là le code convenu entre elle et son
mari. Ensuite, Mme Houdini nia l'authenticité de ce
message posthume et insinua que Ford avait obtenu ce ren-
seignement d'une autre manière. Finalement, suite à la
mort d'Arthur Ford, on soupçonna celui-ci d'avoir eu
recours à des méthodes douteuses. (Notamment, à une
séance tenue à Toronto au sujet du défunt évêque James
Á. Pike, Ford s'y serait préparé à partir des pages
nécrologiques du *New York Times.)*

De plus, on racontait dans l'entourage du magicien
que Ford et la veuve d'Houdini vaient, pour un certain
temps, été suffisamment intimes pour que celle-ci donne
elle-même le code à Ford.

Ceci dit, et pour démontrer l'incertitude de la
«preuve» d'une après-vie fondée sur les communications
médiumniques, je veux vous mettre au courant des
travaux de Carl Wickland, médecin, qui exerça la
psychiatrie à Chicago et à Los Angeles dans les décennies
1920 et 1930. Son hypothèse de travail voulait que certaines formes de maladies mentales découlent de la
«possession» du malade par un esprit. Il se servit de chocs
électriques légers pour chasser l'esprit qui habitait son
patient et mit cet esprit en communication avec sa femme,
Anna, elle-même médium. Ensuite, au moyen de conseils
et de menaces, Wickland tentait de convaincre l'entité
malvenue de quitter le corps de son patient et de s'en aller
vers un autre palier du royaume des esprits. Dans son livre
The Gateway to Understanding, le docteur Wickland
décrit une séance qu'il tint chez Sir Arthur Conan Doyle,
le créateur du personnage fictif de Sherlock Holmes, un
spirite convaincu. Cette séance eut lieu après la mort
d'Houdini et la «révélation» de son code par l'entremise
de la médiumnité de Ford. De son vivant, Houdini s'était
querellé avec Conan Doyle, privément et publiquement.
Ces deux célébrités, l'auteur populaire et le magicien en-

core plus populaire, s'étaient affrontées en débats publics pour discuter à fond de la vie après la mort. Houdini tenta de convaincre Conan Doyle de la possibilité de reproduire, par tricherie, toute communication médiumnique. En fait, disait Houdini, une bonne partie de sa carrière de magicien se résumait à cela. Mais Doyle resta persuadé que les esprits parlent par la voix des médiums.

Quoi qu'il en soit, Wickland tint sa séance chez Conan Doyle et sa femme servit de médium. Selon la description de Wickland, l'esprit du grand magicien Harry Houdini «s'empara» de Mme Wickland. Au début, l'esprit d'Houdini «avoua sa grande erreur d'avoir tourné en ridicule les phénomènes psychiques qu'il tenait d'ailleurs pour vrais». Et Wickland continue ainsi son récit:

«Quand on fit allusion au code convenu entre lui et sa femme, il répondit que dans l'état de confusion mentale où il se trouvait, il ne pouvait même pas se rappeler le code et qu'il devait acquérir une meilleure connaissance de sa nouvelle condition.» Wickland ajouta: «A l'époque j'étais étonné de la connaissance qu'avait Houdini de Conan Doyle, mais j'appris plus tard que pendant sa vie, Houdini avait eu de nombreuses discussions avec Sir Arthur sur le problème du retour des esprits. J'appris également qu'Houdini avait manifesté un penchant pour la réalité de la communication avec les esprits. On vient de voir que le médium new-yorkais Arthur Ford avait réussi à déchiffrer le code secret d'Houdini et de sa femme, tel qu'attesté par un affidavit de Mme Houdini.»

Wickland poursuit: «Trois ans plus tard, pendant une séance privée chez moi, l'esprit d'Houdini s'empara de nouveau de Mme Wickland et dit regretter sa négation, exprimée de son vivant, du retour réel des esprits et de leur communication avec les humains. A son regret, il ajoutait sa détermination de corriger le plus possible, de l'au-delà, les torts qu'il avait pu causer.» D'après Wickland, Houdini aurait dit:

«Ça semble cruel qu'un homme dans ma position ait jeté autant de poudre aux yeux des gens. Depuis ma mort, j'ai tenté d'entrer en rapport avec de très nombreux médiums mais sans succès. Quand j'étais sur terre, c'est moi qui ai fermé la porte à double tour en tournant en ridicule les médiums et les phénomènes psychiques. Je n'ai été capable d'ouvrir la porte qu'une ou deux fois, mais pour une courte durée. Quand j'approche quelqu'un pour lui dire la vérité, on refuse de me croire alléguant que je ne suis pas celui que je prétends être, parce que pendant ma vie, je ne parlais pas comme je le fais maintenant.»

«Aujourd'hui, je vous demande de m'aider à réparer mes fautes. Je ne puis progresser avant d'avoir avoué la vérité. Pourtant, je dois le faire! J'ai trouvé une porte de sortie chez le plus merveilleux des médiums, Arthur Ford. J'ai fait du tort à plusieurs médiums. Comme je voudrais aller à chacun d'eux pour lui dire que j'ai mal agi, que je les ai traités de charlatans alors qu'ils travaillaient au bien de la cause. Que Dieu me pardonne. Je vois mes erreurs mais je ne puis sortir de ma condition présente avant d'avoir fait du bien à ceux que j'ai tournés en ridicule. Je fais de mon mieux pour corriger mes fautes mais c'est difficile.»

Quels que soient le mérite ou la validité des communications enregistrées par Wickland, leur teneur et leur forme sont différentes des communications d'Houdini vivant. La confession me rappelle la prétendue «conversation» que j'ai eue avec l'esprit du Dr Prince. Dans les deux cas, on y retrouve les mêmes sentiments. La conversation Houdini-Wickland, telle qu'enregistrée par le docteur Wickland, se déroula comme suit:

WICKLAND — Vous rappelez-vous la conversation que vous avez eue avec Sir Arthur Conan Doyle peu de temps après votre mort? Vous vous êtes servi du même intermédiaire.

HOUDINI — J'ai fait de mon mieux pour m'échapper par l'ouverture mais, à ce moment là, j'étais si confus que je ne savais pas où j'étais. En mon for intérieur, je suis maintenant certain d'avoir fait du mal. Nombreux sont ceux qui ne savent pas ce qui les attend dans l'au-delà, ce que veut dire le sommeil de la mort. Celui qui connaît la mort ne subit pas de contrainte. Au début, j'étais tellement confus que j'oubliai pour quelque temps tout ce qui touchait à la mémoire. (C'est là une doléance fréquente chez plusieurs esprits qui tentent de communiquer une première fois après la transition.) Plus tard, les choses devinrent plus claires pour moi et j'ai essayé très fort de faire passer un message. Je voulais dire la vérité et réparer mes erreurs. J'ai trouvé un magnifique instrument en la personne de M. Ford. J'ai parlé par son entremise et ma femme se trouvait en état de m'accepter. J'étais très heureux mais, soudain, la porte se ferma.

«Comme je voudrais également dire quelques mots à un autre magnifique médium, Margery. (Mme Margery Crandon, de Boston.) J'ai fait beaucoup de mal à cette pauvre femme. Comme elle a souffert de mes attaques. J'ai tenté de la troubler et une fois, j'ai failli la tuer. Mais je ne portai pas beaucoup attention à ce geste dans le temps J'espère que je pourrai réparer le mal que je lui ai fait. Elle est un excellent médium. J'ai donné des leçons et j'en ai reçu de l'argent — pourquoi? Pour mystifier les gens. Les honnêtes médiums payaient pour m'entendre parler et s'appauvrissaient. (Se couvrant la face avec ses mains) C'est horrible.

WICKLAND — Ne continuez pas comme ça, cher ami, vous maîtrisez un médium, vous devez être prudent. Ne vous surexcitez pas.

HOUDINI — Je vois les choses d'une façon tellement

différente maintenant. Tout ce que j'ai fait s'étale maintenant devant moi.

WICKLAND — Changez votre attitude et recherchez les esprits intelligents autour de vous. Ne vous attardez pas constamment sur vos problèmes. Essayez d'en sortir.

HOUDINI — Mais c'est comme si j'étais dans une prison; je ne vois rien.

WICKLAND — Vous verrez en temps et lieu. Demandez aux forces intelligentes de vous aider et de vous donner la force de surmonter vos difficultés afin de pouvoir continuer.

HOUDINI — (Souriant) Merci! C'est plus clair maintenant. Près de moi se trouve une gentille petite dame (un esprit) et elle dit vouloir m'aider. (A l'esprit) Vous allez m'amener chez vous, dites-vous?

WICKLAND — Dit-elle qui elle est?

HOUDINI — (S'adressant à quelqu'un d'invisible) Quel est votre nom, gentille demoiselle? Elle dit s'appeler Mlle Dresser. (Autrefois membre de notre cercle.) Et vous me promettez de m'amener et de m'aider? J'aurais dû savoir que ce n'était pas bien de parler pour de l'argent comme je l'ai fait si souvent. J'étais si égoïste.

WICKLAND — Vous pouvez surmonter ça.

HOUDINI — Belle dame, allez-vous vraiment m'aider? Comme votre âme doit être paisible. Vous êtes comme un ange transparent!

WICKLAND — Sa pensée était occupée à des idéaux plus élevés quand elle était dans son corps physique.

HOUDINI — Elle semble flotter, pas marcher, et moi je suis aussi lourd que du plomb.

WICKLAND — Cessez de penser à ça tout le temps. Vous avez fait des erreurs mais maintenant, cherchez le bon côté. Ne vous découragez pas.

HOUDINI — Vous m'aiderez, petite dame?

WICKLAND — Bien sûr que oui, c'est pourquoi elle

est venue ce soir. Jusqu'à ces temps derniers, elle faisait partie de notre petit cercle.

HOUDINI — Allez-vous m'envoyer des pensées réconfortantes? Je sais que j'ai mal agi, et je le savais dans le temps. Si j'avais écouté ma conscience, je ne serais pas ici maintenant. J'étais un extra-lucide et je le savais. J'étais aidé dans mon travail par le pouvoir des esprits. Mais davantage par les puissances portées sur la matière, celles qui pouvaient faire de la magie. Hélas, j'ai fermé la porte aux intelligences supérieures.

«Petite dame, vous qui êtes si belle et si brillante, allez-vous m'aider? Quelqu'un vient vers moi maintenant. Ecoutez! Ecoutez la belle musique. Cette petite dame en a amené deux autres qui chantent. Quelle musique! Enfin, mon âme est en paix et je puis continuer. J'ai beaucoup de travail à accomplir pour réparer le mal que j'ai fait. Mais écoutez, quelle belle musique! Le Ciel s'ouvre! Je ne puis décrire cette musique pour n'en avoir jamais entendu de telle auparavant. Et regardez ces fleurs si belles! Jamais, jamais, je n'ai vu tant de beauté. Le Ciel s'ouvre certainement pour moi!

WICKLAND — Vous trouverez certainement beaucoup de belles choses dans votre nouvelle vie mais vous devrez tenter de sortir de votre condition actuelle. Admettez vos fautes et tirez-en profit. La vie est une école.

HOUDINI — Entendez-vous jouer cet extraordinaire orchestre? On me dit que cet orchestre joue pour ceux qui sont dans les ténèbres afin de leur ouvrir les yeux aux beautés du monde des esprits. Oh, que je voudrais pouvoir dire à ma femme ce que je vois! Elle serait si heureuse d'apprendre que j'ai enfin trouvé la paix.

WICKLAND — Nous vous enverrons tous des pensées d'aide.

HOUDINI — Une chose que je dois vous demander. C'est de ne pas jouer les Thomas au sujet de mon identité.

J'ai assez de combats à livrer. Je *suis* Houdini. Où sommes-nous?

WICKLAND — Nous sommes au *National Psychological Institute* de Los Angeles, fondé pour faire de la recherche en psychologie dans le but de nous assurer de la condition des esprits après leur transition. L'expérience a démontré que les esprits intelligents peuvent faire beaucoup de bien dans la conduite des affaires humaines. D'autre part, à cause de leur ignorance, plusieurs esprits sont, sans s'en rendre compte, responsables d'aberrations mentales. De plus, les esprits intelligents s'unissent souvent aux mortels pour aider les esprits perplexes qui ne sont pas au courant de leur transition.

HOUDINI — On me dit que je dois partir. Mais avant de m'en aller, je veux vous remercier de votre aide. Dieu vous bénisse! Au revoir.»

Wickland déclare que ce compte rendu de cette communication avec Houdini fut publié dans un magazine et que dix jours plus tard, l'esprit d'Houdini contrôla de nouveau Mme Wickland. Voici le contenu de leur entretien:

HOUDINI — Je suis revenu pour vous remercier de l'aide que vous m'avez procurée.

WICKLAND — Vous avons-nous réellement aidé?

HOUDINI — Oui, et je suis maintenant beaucoup plus heureux que la dernière fois. Auparavant, j'avais nié des faits que je savais être vrais. Je voulais être original et faire croire à tous que j'agissais d'une manière scientifique. Alors, je niai les faits et critiquai les autres. Si vous détenez la vérité, avouez-le. Maintenant que j'ai reconnu mes erreurs, je demande pardon à ceux que j'ai blessés. Je vous remercie d'avoir publié cet article et d'avoir fait savoir au public que je suis revenu. Je suis heureux que maintenant le monde sache que j'ai voulu ruiner ce médium Margery (Mme Crandon) qui ne vit que

229

pour la vérité. J'ai recouru à la tricherie mais Walter (le frère de Mme Crandon) m'a découvert. Dieu bénisse les Crandon et Dieu vous bénisse! Je suis si heureux que cet article ait fait savoir à tous que Mme Crandon fut persécutée. C'est maintenant connu.

WICKLAND — Nombreux sont ceux qui vous tenaient pour un merveilleux médium aidé par les esprits. Etait-ce correct?

HOUDINI — Oui, mais je ne le reconnus pas. Toutes les fois que je m'apprêtais à faire quelque chose de spectaculaire, j'attendais d'entendre une voix m'incitant à y aller, autrement je n'aurais rien fait. A plusieurs occasions, je n'accomplis pas mes tours parce que je n'entendais pas de voix. Quand je les entendais, je savais que tout allait bien marcher. Je ne puis vous dire comment je réussissais mes tours parce que je ne le sais pas moi-même. J'étais dans une semi-transe quand tous ces tours se produisaient.

WICKLAND — J'aimerais savoir qui vous a retiré de la citerne d'eau quand soudainement vous apparûtes sur la scène. Je prétends que ce tour ne put être réussi qu'avec la collaboration des esprits.

HOUDINI — Je ne le sais pas moi-même. Quand j'étais dans la citerne, j'entendais des voix mais ne pouvais comprendre ce qu'elles disaient. Jusqu'à un certain moment, j'étais moi-même, mais pas après. Du moment où j'ai été attaché et enfermé jusqu'au moment de ma libération, je n'ai eu connaissance de rien. Mais je ne pouvais dire cela. On se serait demandé ce qui m'arrivait; c'est pourquoi je n'ai pas osé parler. Je voulais faire croire aux spectateurs que je faisais les tours moi-même, mais, en réalité, c'était les esprits qui se servaient de moi.

WICKLAND — Vous faites du progrès maintenant, n'est-ce pas?

HOUDINI — Oui. J'ai suffisamment progressé pour éclairer certains compagnons et je fais tout ce que je peux pour aider les malheureux. J'ai le devoir d'aider les autres avant de pouvoir monter davantage. Je suis heureux, mais, d'une certaine manière, je suis limité par mon obligation de découvrir ceux qui sont dans le besoin et de les aider en leur donnant la force. Je fais ici ce que j'aurais dû faire sur terre. Si sur terre je m'étais toujours rangé du côté de la vérité, si j'avais toujours reconnu la puissance des esprits, le monde aurait été davantage éclairé parce que les esprits ont accompli de belles choses par mon intermédiaire.

WICKLAND — Vous êtes-vous mis en rapport avec l'esprit d'Arthur (Sir Arthur Conan Doyle)?

HOUDINI — Oui. Et je lui ai également demandé de me pardonner. J'ai dit beaucoup de mal de lui. Je m'attaquais à toute la recherche psychique et à tous les bons médiums. Si je vous avais connus, vous et votre femme, Dr Wickland, vous auriez subi mes foudres. Les seuls qui m'ont échappé sont ceux que je ne connaissais pas. Je croyais tout savoir et n'avoir rien d'autre à apprendre. Si jamais vous arrivez à croire que vous savez tout, demandez à Dieu de vous tirer de cet état d'esprit. Quand vous condamnez tout le monde, croyant être le seul à posséder la vérité, c'est grave. On peut toujours apprendre quelque chose. Plus vous en apprenez, le mieux c'est pour vous. Je suis heureux que le monde ait appris mon retour et ma contrition. C'est plus important pour moi que je ne saurais le dire. Je vous remercie de vos lumières. A l'avenir, je ne vous importunerai plus. Je vous remercie tous.

WICKLAND — Bonne chance.

HOUDINI — Merci et bonsoir.»

Cet échange entre le docteur Wickland et le soi-disant esprit d'Harry Houdini, réalisé par l'intermédiaire de la médiumnité d'Anna Wickland, suivait un processus typique de la démarche de Wickland. La plupart du temps, Carl Wickland s'adressait aux entités en communication avec sa femme à la manière d'un savant médecin-psychiatre voulant renseigner un patient ignorant. En certaines occasions, Wickland pouvait être gentil, paternel, patient; en d'autres occasions, il semblait brusque, rudoyant les esprits, surtout s'il avait affaire à des entités apparemment en possession d'hommes ou de femmes mentalement dérangés. Dans le cas d'Houdini, la possession étant exclue, il ne s'agissait donc pas pour Wickland d'exorcisme. Ce qui intéressait Wickland dans le cas d'Houdini, c'était la preuve de son identité. Sa conversation avec l'«entité Houdini» lui apporta, crut-il, la preuve de l'identité posthume du magicien. La critique pourrait conclure que l'inconscient de Mme Wickland fournissait à son mari le genre de conversation recherché. Dans cet échange, l'«esprit Houdini» n'a pas réellement établi son identité.

Il est néanmoins possible que la méthode toute particulière de Wickland — si on peut dire — ait aidé les patients qui croyaient en lui. On se souvient que les traitements psychiatriques de Wickland reposaient sur l'hypothèse de la possession et de son exorcisme par des chocs électriques. Wickland prétendait que ce mode de traitement lui était suggéré par des entités supérieures du monde des esprits, et qu'il n'était en somme que l'«adjoint» des esprits. A la fin de son dialogue avec Houdini, Wickland évoque l'«Armée des esprits intelligents» qui demanderait au genre humain d'assurer une plus grande communication entre les deux «sphères» d'existence. Ces soldats imploreraient constamment les scientifiques de rejeter leur scepticisme et leur hostilité futile pour coopérer à l'établissement sur terre d'institutions où, de l'au-delà, les esprits ignorants pourraient s'instruire.

Dans ce but, Wickland avait organisé le *National Psychological Institute,* mentionné dans son dialogue avec Houdini. Il décrit cette institution comme «une association sans but lucratif formée dans le but de poursuivre de la recherche expérimentale en psychologie et de renseigner les gens sur la vie et la mort ainsi que sur la science de la religion». Wickland espérait «qu'en plaçant la survie sur un plan rationnel et scientifique, il prouverait que la vie ne se limite pas à vivre et la mort à mourir».

La méthode de Wickland nous fait comprendre pourquoi la médiumnité exercée par sa femme Anna n'a pas réussi à fournir les données rationnelles et scientifiques attendues des savants. Un homme aussi instruit que le docteur Wickland et doué d'un esprit aussi puissant acquit ses idées à partir de ses expériences personnelles, dont l'une, survenue durant ses années de collège, est particulièrement frappante.

Au début de ses études en chirurgie, Wickland dut disséquer des cadavres humains. Un jour, il se rendit à l'hôpital, décidé de ne pas faire de dissection. Cependant, le professeur donna à Wickland et à d'autres étudiants en médecine la tâche de disséquer la partie inférieure du corps d'un homme. Dans l'après-midi, Wickland dut disséquer un membre inférieur. Rentré à la maison, il trouva Anna titubant. Comme il mettait sa main sur l'épaule d'Anna, un esprit sembla prendre possession de la femme et dit: «Pourquoi me coupes-tu?» Wickland répondit qu'il ne coupait personne mais l'entité répliqua: «C'est faux, tu me coupes la jambe.»

Une discussion s'ensuivit entre Wickland et l'entité désincarnée. Finalement, l'entité demanda du tabac à chiquer ou, du moins, une pipe. Plus tard, Wickland — peu porté sur l'humour — aurait rapporté ces paroles du bonhomme invisible: «La faim de fumer me tue.» Selon Wickland, l'esprit se rendit compte tout à coup de sa condition et disparut. Le lendemain, Wickland consulta le dossier du défunt dont on avait disséqué le cadavre et découvrit que celui-ci était un fumeur invétéré.

On pourrait expliquer l'incident par la télépathie (Anna Wickland aurait lu dans l'esprit de son mari et y aurait vu l'image de la jambe disséquée) ou par la clairvoyance

(Anna aurait, par perception extra-sensorielle, pris connaissance de la passion de l'homme pour le tabac). On ne doit donc pas s'étonner que le jeune Wickland fût impressionné par cet incident et qu'il ait fondé sa propre version spirite de la vie après la mort, de l'éducation des «esprits ignorants» ainsi que de la guérison sur l'exorcisme des hommes et des femmes possédés.

17

Vivons et mourons comme si nous étions immortels!

Les vivants qui sont allés au-delà de la mort et qui en sont revenus disent que leur expérience est indescriptible. D'ailleurs, comment arriverions-nous à décrire notre vie sur terre? Nous avons peine à comprendre les groupes ethniques, les schémas culturels, les conditions géographiques autres que les nôtres. Le langage a des limites et des nuances qui n'ont rien à voir avec les mots et la syntaxe. Un poète peut recourir à des rythmes ou à des associations de sons dont l'ensemble veut dire davantage que la somme des parties. Le ton d'un orateur ajoute un supplément de sens aux mots.

Comme le dit le docteur Raymond Moody, il faut donc s'attendre à ce que les frontières de la mort soient i- neffables, indescriptibles. Le parapsychologue britanni- que Rosalind Heywood, à la fois écrivain et médium, dit de l'expérience mystique que vouloir la décrire serait «comme vouloir peindre la Passion selon saint Mathieu sur une médaille d'étain avec une cuillère». La sagesse nous incite donc à reconnaître humblement notre incapa- cité de comprendre, de décrire ou d'imaginer une bonne partie de ce qui est. Les chefs religieux, les philosophes, les soi-disant entités spirituelles et les mystiques de toutes origines nous ont donné des descriptions de cette inimaginable dimension qu'est la vie après la mort.

A vrai dire, peu m'importe chacune de ces descriptions. Peu m'importe aussi qu'il y ait sept, dix-huit ou vingt-trois autres paliers spirituels à traverser pour atteindre, après la mort, le palier suprême. Je ne puis comprendre les rôles, les interrelations et les hiérarchies des esprits même en les rapportant aux fonctions terrestres, naturelles, angéliques, démoniaques, diaboliques, guérisseuses, ou encore aux diverses formes de renaissance, de transmigration de l'âme, et la possibilité, la probabilité ou la désirabilité de la réincarnation. Non plus que je comprenne, après beaucoup d'étude, comment peut fonctionner l'existence entre la mort et la re-naissance, ou bien comment des entités peuvent être formées par la combinaison de doublures de personnalités issues de notre propre existence. On peut avancer toutes les hypothèses possibles en ce domaine ou prétendre connaître toutes les sources d'information sur lesquelles ces hypothèses sont fondées; il y a trop de contradictions en la matière. Je ne vois pas pourquoi je devrais accepter ou adopter une proposition plutôt qu'une autre.

Et pourtant, nous sommes tous désireux de savoir ce qui nous attend dans l'après-vie et tous nous nous demandons: «De quoi l'au-delà aura-t-il l'air?»

Comme le laissent entendre les expériences de décorporation, nous reconnaîtrons-nous les uns les autres? Rencontrerons-nous non seulement les gens que nous avons aimés ou qui nous ont aimés, mais également nos adversaires, voire nos ennemis d'ici-bas? Les victimes rencontreront-elles leurs bourreaux? Ou vice versa? A quoi ressemble la face cachée du monde inférieur? Aller au Ciel, chanter la gloire de Dieu peut être emballant pour certains humains; mais en vérité, Dieu recherche-t-il pareil chorus? Comme pour le reste, ces questions dépassent mon entendement. Et celui de nombreux autres mortels. Notre curiosité, je crois, doit être refrénée. Elle doit s'arrêter au bord de l'eau — selon l'image symbolique évoquée par des morts apparents revenus à la vie. Nous pouvons aller jusque-là, et pas plus loin; ni en imagination, ni en spéculation, ni par des expériences de laboratoire. Il est un point précis que nos esprits individuels ou collectifs ne peuvent dépasser. Nos capacités sont trop limitées: respectons l'immense vide qui nous cerne. L'information déjà acquise ne nous permet pas non plus de voir dans la mort la porte du bonheur. Pas plus qu'elle nous incite à nous laisser affoler par l'image du Sinistre Moissonneur récoltant le salaire du péché. C'est surtout difficile d'accepter la version des témoins de l'après-mort qui n'ont vu qu'enchantement dans ces abords de l'au-delà (autrefois, les spirites appelaient cette zone «vallée de l'été»), quand le concept du péché mortel planne encore sur une vaste portion du monde comme une épée de Damoclès théologique.

Il y a beaucoup de bon sens à ne pas vouloir prolonger la vie au-delà d'un certain point. L'idée de mourir dans la dignité gagne du terrain. Mais cela ne veut nullement dire que nous devons désirer la mort seulement parce que la recherche nous en aurait donné une nouvelle description. Les chercheurs dans ce domaine ont reçu de bien étranges suggestions de la part de gens fascinés par les possibilités de la recherche. Dans leur enthousiasme débordant, des volontaires ont même offert de se suicider, «si cela peut être utile à vos travaux». On comprend ici que la règle de la «recherche pour la recherche» est fausse. Bien sûr, on doit accepter la mort, la souhaiter même, quand l'heure a sonné ou quand on n'a plus rien à attendre de la vie malgré les fantastiques progrès de la technique médicale.

.

Pas plus que la naissance, la mort n'est facile. Toute notre vie est une lutte pour la survivance, parce que toute défaite, tout recul est un signe avant-coureur de la mort. Alors, où en sommes-nous? D'après moi, nous en sommes exactement où en était l'humanité il y a quelques milliers d'années, soit au début de l'histoire écrite. Dans les premières pages de ce livre, j'ai évoqué l'*Epopée de Gilgamesh,* assemblage de tablettes babyloniennes, dont le contenu remonte probablement à l'époque sumérienne, soit quelque trois mille ans avant Jésus-Christ, c'est-à-dire cinq mille ans avant notre ère.

Et que dire de cette épopée? Elle raconte la consternation du roi Gilgamesh de voir mourir en pleine jeunesse Enkidu, son ancien antagoniste devenu plus tard son ami. Le poème épique est magnifiquement introspectif, sévère, interrogatif, défiant et finalement apaisant. C'est le perpétuel désarroi du genre humain devant la mort. Au moment de mourir, Enkidu dit à Gilgamesh qu'il se trouvera «seul errant à la recherche de la vie perdue ou d'une vie éternelle à trouver». On peut établir dans ce texte ancien un parallèle avec les expériences modernes de mort apparente. Ces paroles d'Enkidu sont saisissantes d'actualité: «Ma douleur est que mes yeux et mes oreilles ne voient plus et n'entendent plus comme les tiens. Tes yeux ont changé.» Et ensuite l'éternelle question «Pourquoi dois-je mourir? Et toi errer seul?» Le passage se termine: «Gilgamesh s'assied silencieux en regardant les yeux fixes de son ami. Silencieux, il allongea le bras pour toucher l'ami perdu.»

Combien d'anamnèses tirées de ce livre et d'autres livres que vous avez lus reflètent l'espérance mal fondée, le voeu pieux, le sourire qui souvent masque la peur ou le désespoir? Honnêtement, je ne sais pas. Tout ce que je sais, c'est que les gens ont besoin d'espérance, autrement ils tueraient leurs enfants au berceau. Plusieurs d'entre nous, voyant un être souffrir sur son lit de mort, mettraient fin à ses jours — s'ils en avaient le courage et ne considéraient pas ce geste comme un péché ou un crime. Ou, comme il est dit en cette ère de l'électronique dans les salles de soins intensifs, ils «couperaient le courant». Quel déchirement! Et combien de fois ne mentons-nous pas volontairement au sujet de nos probabilités de vie, et de celles des autres?

Je vous le concède, ces paroles ne véhiculent pas l'optimisme, la nouvelle espérance ni la promesse d'une Vie éternelle comme le faisaient les pages précédentes. Mais au terme d'un livre de ce genre, il existe des questions fondamentales qu'il faut considérer humblement et sans hésitation. Il faut prendre le taureau par les cornes, parce que la mort nous force à répondre aux questions essentielles de la vie. En voici quelques-unes:

A quoi se résume la vie? A ceci? Un enfant frustré, un adolescent désorienté, un adulte raté, un vieillard oublié? Naissance, souffrance et mort?

Ces questions nous reviennent avec la régularité des saisons. A mesure que nous perdons la sérénité due à l'acceptation des choses telles qu'elles sont, parce que les choses ne sont plus ce qu'elles étaient, notre vie devient un ferment. Les jeunes garçons et les jeunes filles cherchent maintenant des occupations qui leur permettent de s'affirmer et en trouvent peu. Les couples sont mitraillés de slogans sur le «mariage ouvert» et autres expériences sexuelles. Notre société s'interroge sur ses propres valeurs et ses propres structures, trouve la corruption et le crime là où elle espérait trouver l'intégrité. Le gouvernement subit un siège moral.

Ce ne sont pas là des questions théoriques, portant sur une chose abstraite nommée «société». Ce sont là des questions touchant notre propre valeur et notre propre existence. Pourquoi suis-je né? Parce que mes parents ont pris une décision subite, ou pas de décision du tout? Dois-je avoir des enfants, dans ce monde surpeuplé? Ma vie se limite-t-elle à travailler pour gagner de l'argent alors que mon travail ajoute à la pollution, dévore l'énergie et que mes épargnes sont rongées par l'inflation? Si je souffre, la technologie médicale doit-elle quand même prolonger ma vie? Devrai-je mourir dans la confusion, subir une longue agonie et devenir un fardeau pour mon entourage et pour moi-même?

A quoi se résume la vie? Ne sommes-nous que des asticots sur une grosse pomme nommée terre ou des créatures vouées à la disparition, comme les nombreux mammouths?

En effet, la vie prendrait un sens plus évident, serait plus invitante à vivre, la maturité serait assumée plus allègrement, si on pouvait être certain de l'ultime issue: une vie après la mort — c'est-à-dire la continuité qui fait de notre vie un corridor vers d'autres formes d'existence. Dans son ouvrage intitulé *Learning to Die* (Evanston, 1973), le pasteur John Mundy dit qu'après tout, «la mort peut s'avérer le plus grand des bienfaits». C'est là, évidemment, un espoir que, dans notre ignorance explicable, nous n'osons exprimer, bien qu'il soit aussi légitime que tout autre espoir ou crainte.

Si souvent nous souhaitons la mort d'êtres aimés, si nous allons même jusqu'à leur faciliter la mort, cela veut peut-être dire que la mort n'est pas la fin de tout. Dès que nous nous libérons de l'idée que la mort est une punition, l'éternité devient brillante au-delà de notre imagination. Pourquoi alors ne pas tenir l'immortalité pour un fait acquis? Beaucoup de sentiments nous portent à cette croyance; nos besoins les plus cachés comme nos espoirs et nos demi-certitudes. En dépit des indices étalés dans ce livre, j'ai abandonné l'espoir que la science moderne arrive à établir la certitude ou la négation de la survie de la personnalité humaine après la mort. Quand la *Society for Psychical Research* fut fondée à Londres, il y a un siècle, ses principaux chefs croyaient s'être donné un instrument capable de fournir des bases scientifiques irréfutables aux croyances religieuses traditionnelles. Après un siècle de tentatives, malgré les progrès de la technologie moderne, leurs efforts n'ont prouvé qu'une chose: leur courage et leur ténacité. Aucune investigation dans ce domaine n'a apporté les résultats escomptés tout en satisfaisant aux exigences de la science.

Si nous jetons un bref regard en arrière, nous voyons le dix-neuvième siècle comme un siècle d'espoirs et de réalisations. Dans le domaine qui nous préoccupe ici, la rétrospective ne nous permet guère de mesurer plus que les limites du potentiel humain. Mais même si la science ne nous a pas encore favorisés de ses certitudes mesurées, il faut reconnaître que l'hypothèse de l'immortalité de l'être humain reste encore la meilleure. Le fait de n'avoir pu prouver notre perdurabilité ne prouve pas que tout se termine avec la mort!

La connaissance de l'au-delà n'est pas le lot de la science. La science, toute respectable et indispensable qu'elle soit, n'a rien à faire dans les lumières et les ombres de la mort. Au mieux, elle n'est qu'un intrus toléré, parfois utile. Le fait de parler et d'agir comme si la survie après la mort était clairement établie ne prouve en somme qu'une chose: que nous sommes ignorants et que nous le savons; mais aussi que nous sommes optimistes et courageux. La majeure partie de nos vies se déroule avec des «comme si» pour boussoles. «Comme si» chacun de nous était important. «Comme si» nos tâches valaient réellement la peine d'être accomplies. Et «comme si» nous étions immortels...

Dans les premières pages de ce livre, j'ai cité ces paroles de Fiodor Dostoïevski: «Le concept de l'immortalité est la seule pensée suprême de ce monde.» Avec encore plus de passion, le poète Alfred Tennyson cria: «S'il n'y a pas d'immortalité, je me jetterai à la mer.» Les poètes sont les gardiens des voix de l'âme. Dylan Thomas et Tennyson défient en même temps la foi religieuse et la foi scientifique.

De quoi avons-nous besoin en ce moment? Au risque d'étonner, c'est de la bonté. Une bonté témoignée, d'abord, à nous-mêmes, ensuite à nos familles et à nos amis. A partir de ce tremplin, nous pouvons témoigner de la bonté aux autres. Une telle bonté se situe à l'opposé de l'impatience et des trop grandes exigences envers nous-mêmes et les autres. La bonté, c'est le sentiment, le mot, le regard qui exprime le meilleur de nous-mêmes face à la vie et à la mort. La bonté nous fait repousser la pensée que les rides, la démarche lente, la maladie seraient les signes précurseurs d'une mort sans lendemain. Même réduite à sa plus simple expression, la bonté reste le summum de l'attitude positive: elle nous fait supposer que la vie n'est pas une fin en soi, que nous avons de grandes tâches à accomplir ici-bas, en y mettant toute l'habileté dont nous sommes capables. Elle nous fait également soupçonner que toutes les étapes de notre vie terrestre ne sont que des jalons sur une route sans fin bien que difficilement perceptible.

Nous l'avons vu, les indices d'un au-delà sont vastes et variés mais prêtent souvent à confusion. Les observations des mourants, les visions, les expériences médiumniques, les séances, les décorporations, les apparitions, les phénomènes spontanés ou provoqués en laboratoire — tous ces faits et gestes nous invitent à croire en une autre réalité, mais finalement ne servent qu'à nous faire mesurer notre petitesse.

C'est là, je suppose, ce qui doit être. Serait-ce possible que l'être humain puisse exiger plus que de simples soupçons d'immortalité? Mais si nous avons la foi, gardons-la. Si nous avons une croyance, essayons de la confirmer. Si l'évidence s'impose, ne la rejetons pas. Mais de grâce, vivons et mourons comme si nous étions immortels.

Achevé d'imprimer sur les presses de
L'IMPRIMERIE ELECTRA*
*Division du groupe Sogides Ltée

Imprimé au Canada/Printed in Canada

Grâce à une méthode simple et à la portée
de tous, Louise Haley explique comment
chaque personne peut découvrir les raisons
de ses échecs et de ses succès en amour,
ses chances sur le plan sexuel et affectif
en fonction de son signe astrologique, de
son ascendant et de ses dominantes plané-
taires. C'est en somme un "guide" de
l'amour ou plus précisément des rencontres
amoureuses que l'auteur nous présente. Un
quide qui deviendra sans doute votre livre
de chevet et dont les enseignements, en
vous faisant trouver votre bonne étoile, vous
mèneront au "septième ciel" de l'amour.

$ 5.95

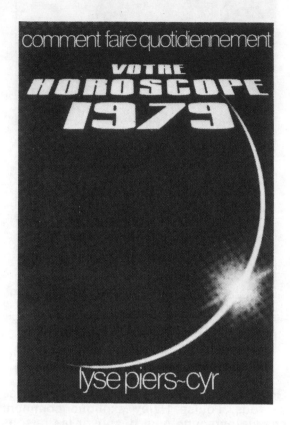

**comment faire quotidiennement
VOTRE HOROSCOPE 1979
Lyse Piers-Cyr**

Prévoyez vous-même votre avenir
quotidiennement en 1979.
Prévoyez l'avenir de vos amis.
Prévoyez vos chances en amour, en
affaires et dans votre vie quotidienne.

$5.95

Voyage dans l'inconscient
                    par Jean Roussier

Jean Roussier, animateur radiophonique à
Montréal, a donné un élan nouveau à la
parapsychologie par ses nombreuses confé-
rences et expériences faites tant au Canada
qu'à l'étranger. Dans son livre "Voyage dans
l'inconscient", Jean Roussier nous invite à
participer à ses fascinantes expériences de
régression dans le temps.

                                    $7.95

Quebecor

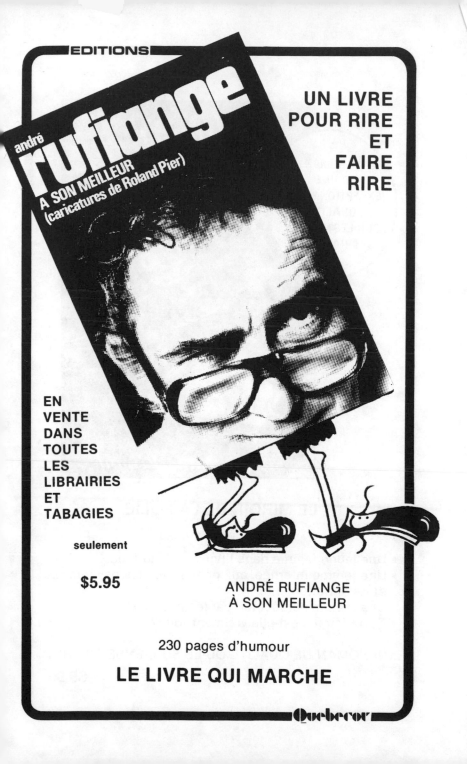

COPARENTALITÉ

Le guide pour parents séparés ou divorcés
par
Miriam Galper

Comment un couple séparé ou divorcé peut prendre charge des enfants sans les traumatiser et nuire à leur développement normal. Un guide rédigé par une grande spécialiste.

$6.95